EMPODÉRATE Y GANA EN LA NUEVA ECONOMÍA

por

FÉLIX HERNÁNDEZ

Editado por Blue Success Publishing
Miami, Florida

Editado por Blue Success Publishing
Impreso en Miami, Florida 2017

Diagramación: Alicia Monsalve
Diseño de portada: Edgardo Ochoa

ISBN-13: 978-0-9988857-0-4
ISBN-10: 0-9988857-0-3

www.felixhernandez.net
E-mail: escuela@felixhernandez.net

Contenido

Recomendaciones

"Conocí a Félix cuando él tenía 25 años, ya hace más de 20 años. Un muchacho empresario con una determinación incansable. Nos embarcamos en una gran aventura y el desafío era crear una organización de miles de personas en network marketing, y la hicimos mucho más grande de lo planeado. Lo he visto crecer y convertirse en un ser extraordinario. Un hombre de familia, de gran corazón, de principios y valores impecables.

El joven emprendedor, aprendió y sigue aprendiendo. Su misión es crear una nueva generación sin límites, aplicando los principios de la "Nueva Economía". Es un honor ser parte de su vida. ¡Qué este libro los llene de sabiduría y conocimiento, y espero que algún día tengan el placer de conocer a Félix!"

Dr. Joe Rodríguez
Científico y académico de clase mundial
Descubridor de la bacteria NOCARDIA que afecta a los pacientes con Sida. 35 años de experiencia en Network Marketing

Félix Hernández es la mezcla más perfecta de buen carácter, experiencia, empatía y carisma únicos que jamás haya encontrado en mi vida.
Por más de 25 años, Felix ha generado extraordinarios resultados en la industria del mercadeo en red... Él practica lo que profesa y ha desarrollado un sistema, un manual para el éxito, para empoderar a otros a alcanzar en éxito en sus vidas.

Mary Louise Zeller
9 veces campeona Mundial de Tae Know Do y
Empresaria "Top Generadora de Ingresos"

Félix Hernández es un individuo singular que combina un conocimiento de la industria del mercadeo en red con la "Nueva economía". Al leer este libro sabrás como yo lo sé que puedes confiar en este hombre. Es un hombre de integridad impecable el que ha escrito este libro para ti. Su corazón lo ha guiado por este camino y es una senda por la que puede guiarte con confianza. Félix te revelará no solo las cosas que son necesarias para sobrevivir en el mundo que vivimos hoy, sino aquellas que te ayudarán a prosperar y a ser exitoso en esta "Nueva Economía". Te aseguro que si sigues los consejos que ha preparado para ti en este formato especial, vas a creer y a saber cómo y qué hacer para lograrlo. Félix es un experto en ello y ahora quiere pasar este conocimiento hacia ti.

Mike Akagi
Atleta de Alto Impacto, docente y
Empresario Top Generador de Ingresos"

Dedicatoria

"A todos los emprendedores del mundo, y a todo el equipo de personas extraordinarias que me acompañan en esta maravillosa tarea de provocar libertad financiera en otros, pero sobre todo a hacer una diferencia en sus vidas".

Agradecimientos

Quiero agradecer en primer lugar a mi esposa Carla por su paciencia y lealtad a sus valores fundamentales, ella y mis hijos Ethan y Gianna son la inspiración fundamental en mi vida. Pienso en mis pequeños y definitivamente veo seres humanos que aportarán mucho a este mundo. Carla y yo tenemos como tarea invertir en ellos al máximo.

•

Quiero agradecer también a mis amigos Marco Luzardo y Edgardo Ochoa, con quienes he compartido una amistad de más de 25 años y cuyo aporte ha sido fundamental para la realización de este libro. También me gustaría agradecer al Dr. Joe Rodríguez por su mentoría y a seres humanos tan especiales como los son Mike Akagi y Mary Louise Zeller.

•

Alicia Monsalve, gracias por tu gran aporte como editora, tu ayuda ha sido tremenda.

•

Gracias Dios, por permitirme escribir este libro, sin ti no sería nada en esta vida.

Prólogo

MI COMPROMISO

*El mundo de los negocios ha cambiado,
está cambiando y seguirá cambiando muy
rápido, lo hemos llamado "La Nueva Economía".
Este libro lo concebí con el objeto de
empoderarte y darte las herramientas prácticas
aplicables para navegar exitosamente en este
mar de oportunidades y conseguir tus sueños
en esta nueva y cambiante economía.*

Desde mis comienzos, con muchas esperanzas pero económicamente quebrado al provenir de una familia muy humilde en Venezuela, fue un gran descubrimiento encontrarme con el concepto del **Capitalismo Solidario**. Este concepto cambió mi vida y le dio sentido a lo aprendido en mis años de universidad, que aún cuando fueron muy útiles, me habían capacitado para el mundo del empleo, pero no para la libre empresa, el emprendimiento y los negocios.

Antes de conocerlo, a pesar de mi formación académica, me sentía desorientado. Aprendí el poder del mercadeo y la distribución, lo cual sumado a la idea de hacer negocios ayudando a otros y apalancando los recursos para generar riquezas; me permitió entender que esta es una manera mucho más inteligente y poderosa de hacer negocios que compitiendo unos con otros.

Aplicando el **Capitalismo Solidario,** en estos últimos 25 años he creado una red global de más de 250,000 personas que generan millones de dólares anuales y sigue en expansión, día a día. Mis sueños juveniles pasaron por la etapa de la frustración y el trabajo, para luego alcanzar el éxito deseado.

Pero nada supera la satisfacción de ayudar a millones de personas a aprender los conceptos evolucionados de ser un capitalista solidario y ver a otros triunfar dentro de la nueva economía; sustentando sus logros en el éxito de los demás, esto en sí mismo para mí representa un desafío y una gran recompensa a la vez.

Sigo aprendiendo, pues al mundo de hoy le gusta la velocidad, y me gusta disponer de buenos mentores y humildad para aprender de ellos. Esto es un requisito indispensable para alcanzar tus metas y sueños.

Mi misión es compartir con todo el mundo la fórmula que me ha funcionado todos estos años, para que otros emprendedores, empresarios, amas de casa, estudiantes y profesionales encuentren su lugar dentro de la nueva economía y así disponer de un futuro promisorio dentro de ella. Mi gran sueño es que todos tengan la misma oportunidad que yo tuve muchos años atrás y puedan comprender estos principios y enseñanzas, sobre todo en este momento de la historia.

Este libro lo concebí como una herramienta llave en mano, que te proveerá los secretos prácticos y efectivos que simplifiquen tu proceso de crecimiento y preparación para alcanzar tu libertad financiera.

Quiero darte las gracias por darme la oportunidad de compartir contigo mis vivencias y conocimientos, quiero que sepas que puedes contar con mi apoyo durante todo el proceso a través de las diversas herramientas y vías de conexión que tenemos disponibles para ti. Mi mayor satisfacción serán tus logros.

Félix Hernández

Miami, 19 de marzo de 2017

Capítulo Uno

ENTENDIENDO LA NUEVA ECONOMÍA

*El modelo macroeconómico con el cual
la mayoría de nosotros fuimos educados
se está extinguiendo rápidamente.
Es tiempo de romper paradigmas y activarte
en la Nueva Economía.*

La situación actual de la economía global representa un desafío complejo, y muchos se sienten atrapados dentro de un mundo muy cambiante y veloz.

Estamos definitivamente en un momento muy especial en la historia socioeconómica de la humanidad. Las preguntas de muchas personas económicamente activas son tales como: ¿Qué está pasando? ¿Por qué es cada vez más difícil generar los ingresos que antes nos permitían tener un estilo de vida cómodo y digno? ¿Por qué a veces me siento obsoleto? ¿Cuál es el secreto? ¿Por qué algunos generan riqueza de una forma tan rápida y aparentemente sencilla?

La respuesta a todas estas inquietudes se llama NUEVA ECONOMÍA. Es una realidad que está pasando justo frente a nuestros ojos y que en sí misma constituye un cambio dramático de los ejes y puntos de referencia bajo los cuales fuimos educados para funcionar respecto a los negocios y las finanzas.

Los tradicionales modelos macroeconómicos que gobernaron la era industrial se están extinguiendo. De hecho, el capitalismo en su forma pura no se practica actualmente y el socialismo, sobre todo en sus formas básicas, experimenta algo similar. Si a esta realidad le agregamos la velocidad con la que suceden los cambios hoy por hoy, entonces la ecuación se complica mucho más.

La nueva economía es entonces el nuevo paradigma económico del siglo XXI, y representa un acertijo presente, inmerso dentro del frenesí del día a día. Por ello es tan importante analizar los parámetros que rigen a esta nueva realidad, a fin de tratar de comprender hacia dónde debemos dirigirnos y entender con claridad cómo ser exitosos en estos tiempos. Para lograrlo revisaremos algunos aspectos fundamentales o principios de este poderoso modelo macroeconómico.

PRINCIPIO NÚMERO 1 DE LA NUEVA ECONOMÍA:

EL CAPITALISMO SOLIDARIO

El capitalismo solidario representa la base conceptual sobre la cual está estructurada la nueva economía, es en sí la filosofía que da sentido a esta nueva realidad económica. Probablemente usted se estará preguntando:

¿Capitalismo solidario? ¿Qué es exactamente el capitalismo solidario? ¿Es acaso un concepto nuevo? ¿No son el capitalismo y la solidaridad conceptos antagónicos?

El capitalismo solidario busca la sumatoria de recursos en lugar de que estos compitan entre sí. El objetivo es sumarlos para generar mayor poder en el mercado. ¡Qué gran idea! ¿No cree? Apalancar los recursos, aumentando su potencial para lograr juntos lo que por separado cada parte es incapaz de lograr. Este concepto recoge el perfecto espíritu de la nueva economía y es el corazón del capitalismo solidario.

Veamos algunos ejemplos actuales de aplicación del capitalismo solidario. Citemos primero a ÜBER, la controversial empresa que integra los autos de millones de personas sin invertir un centavo en ellos. Los individuos se asocian solidariamente con la compañía, invirtiendo sus recursos financieros con ésta, sin que ÜBER desembolse un solo centavo en esta parte del negocio. A su vez, la compañía coloca la infraestructura tecnológica, los clientes y la administración del negocio, algo que los miles de individuos asociados a la corporación por separado no podrían jamás llegar a disponer, ya que de forma independiente no poseen la capacidad para ello. Como producto de esta asociación solidariamente capitalista se comparten utilidades.

Es un modelo muy eficiente y difícil de competir, por ello esta empresa ha creado tanta controversia, ya que rompió con los esquemas de la era industrial y afectó a muchos empresarios tradicionales que tratan de evitar el progreso atacando estas ideas en lugar de reinventarse y adaptar sus propios modelos de negocios. Por cierto, debo aclarar que no tengo ninguna vinculación con esta empresa y no estoy, con lo antes expuesto, poniéndome en acuerdo con su desempeño, solo la cito este caso como ejemplo de capitalismo solidario. De hecho, ni siquiera sé si sus dueños y ejecutivos sabe que su modelo de negocios tiene como base filosófica este concepto tan evolucionado y efectivo.

De igual manera, otro ejemplo actual de esto lo representa la empresa AIRBNB, que se apalanca en las habitaciones de millones de propietarios, poseyendo un sistema mundial de rentas con muy poca inversión y gran potencial.

Estos son solo algunos ejemplos de la gran tendencia del momento, desarrollar compañías más ligeras en estructura, donde diferentes y múltiples partes colocan sus recursos uniéndolos solidariamente con los del otros para crear riqueza compartida. ¡Qué tremendo concepto éste! APA-

LANCAMIENTO DE RECURSOS, PARA GENERAR RIQUEZA COMPARTIDA, lo cual por cierto es el fin último y fundamental del capitalismo solidario.

Este modelo de negocios genera bajo riesgo, mínima inversión y aumenta notablemente las utilidades compartidas para todas las partes, ya que las cargas empresariales típicas de la era industrial no existen, pues nóminas recargadas, gastos administrativos elevados, inventarios elevados y conflictos de intereses por zonas de distribución o falta de recursos para provocar expansión no están presentes en esta estrategia empresarial.

Estos son solo dos ejemplos de los miles que podríamos citar. La nueva economía es la nueva forma de hacer negocios, y tanto a nivel corporativo como a nivel personal debemos entenderla para poder ser exitosos financieramente en el siglo XXI.

El capitalismo solidario a su vez representa otros muchos principios que lo definen y asimilarlos es indispensable para ganar en la nueva economía. Dentro de ellos podemos citar los siguientes:

POSTULADO NÚMERO 1
DEL CAPITALISMO SOLIDARIO:

NADIE SE HACE RICO SOLO

Este principio rompe con la tradicional concepción de que alguien no necesita a los demás para triunfar, pues él por sí solo puede controlar el negocio. Esta idea está haciendo agua cada día más, pues forma parte de los viejos paradigmas, donde alguien controla los recursos y por ende solo él pone las reglas del juego. Déjeme decirle que en las nuevas realidades económicas del mundo, definitivamente los grandes necesitan más de los pequeños que los pequeños de los grandes.

Cada vez hay más y más empresas importantes entendiendo que ahora la competencia no solo es global y mucho más demandante. Además, actualmente nuevos y desafiantes competidores aparecen, generando nuevas oportunidades para atraer a socios independientes pequeños, e incorporarlos a sus filas.

Actualmente la compañías se esfuerzan por hacer muy atractivas sus propuestas empresariales. Ahora la lucha por la atención de los pequeños socios entre las grandes empresas es muy voraz. Por ejemplo, el socio independiente que trabaja desde el hogar y que es capaz de producir resultados, se ha transformado en un activo en sí mismo, y es altamente cotizado, hoy por hoy tiene un gran valor en el mercado.

Este principio de involucrar a los demás en las ganancias, haciendo a las personas protagonistas del éxito de la empresa mientras ellos construyen lo que se ha convertido en su negocio propio, en un concepto mucho más poderoso que los viejos paradigmas de la relación de dependencia donde el jefe ordena y los demás obedecen.

Esto derrota de manera dramática a ese anticuado modelo de la era industrial, otorgando a cada persona la oportunidad de alcanzar muchos mejores resultados, todo esto sin horarios apretados, ni jefes que condicionen sus vidas.

De esta manera, las personas se sienten libres para progresar, los límites no existen y el sentido de pertenencia hacia la empresa hace que ésta se vuelva en sí misma más fuerte, pues ahora miles visten con gran pasión la camiseta corporativa.

No podemos olvidar que la gente desea, podría decir incluso que necesita, ser parte de algo, de un equipo, de una causa, de un movimiento, y eso lo incorpora muy bien el capitalismo solidario, pues ahora en el nuevo paradigma empresarial de la nueva economía, el negocio no es de la empresa, el negocio es de cada uno, fortaleciendo el poderoso sentido de pertenencia y la lealtad generada de forma consecuente.

LA RIQUEZA SOLO ES SOSTENIBLE SI ES COMPARTIDA

Solo si el éxito esta sustentado en el éxito de otros, podrá trascender en el tiempo. De igual modo, solo si la riqueza es compartida podremos proyectarla en el futuro de manera cierta en estos tiempos. Este principio del capitalismo solidario, particularmente me gusta mucho, ya que hace a la riqueza mucho más democrática y justa.

Con las reglas de este tiempo, tan diferentes a las pasadas, en tan corto plazo se nos plantea la urgencia de comprender estos nuevos paradigmas y constantemente ver cómo aplican a nuestro tipo de negocio, y fíjese que hablo de "aliados" no "empleados". Con empleados nada más será bastante difícil sostener en el futuro la causa empresarial que usted tenga.

Esto ocurre ya que quienes entienden estas verdades actuales están brindando oportunidades a muchos para sumarse a sus propuestas, ofreciendo sociedades solidarias mediante la forma de la franquicia personal, mediante contratos que pueden ejecutarse desde sus hogares, y otras propuestas que hacen a estas personas partícipes de las utilidades de esas empresas, las cuales por cierto además de aumentar sus posibilidades de éxito mediante la práctica del capitalismo solidario, se van quedando progresivamente con el mercado. Sin embargo, millones de personas aun se resisten a entender lo que hemos explicado, y no quieren aceptar las reglas de la nueva economía, y del capitalismo solidario. Pero en parte esto responde a un hecho, y éste es que nadie les explicó esa nueva realidad, nadie les dijo que eso está pasando en nuestro entorno y que es vital entenderlo para triunfar en este tiempo.

Quizás ésta sea la primera oportunidad que alguien le explica estos conceptos y aclara sus dudas sobre lo que está ocurriendo. Yo trato de hacerlo sin grandes y complicadas explicaciones técnicas, solo trato de aportar con sencillez algunas verdades que con mucho trabajo he aprendido y descifrado, y sé que para muchos lamentablemente es un tema difícil y complicado. Incluso algunos –a pesar de estar en puestos de influencia–, simplemente no quieren reconocer que deben cambiar sus preceptos y alinearse a las nuevas realidades. Otros por el contrario, consideran que el hecho de que la masa asimile y practique estas ideas se convierte en una amenaza para sus propios proyectos de negocios.

También, antes de terminar este punto, me gustaría compartir acerca del capitalismo solidario que esta filosofía de negocios representa un importante elemento social, que está generando profundos cambios y con gran impacto en la sociedad presente, tema que quizás en un libro posterior podamos desarrollar, ya que éste está enfocado en particular al aspecto de negocios en la nueva economía.

POSTULADO NUMERO 3
DEL CAPITALISMO SOLIDARIO:

LA INTEGRACION SOLIDARIA PRODUCE MAYORES RESULTADOS

La integración de los recursos o el apalancamiento de los mismos solidariamente produce mayores resultados que el uso de los recursos por separado. Solo imagine el poder económico y empresarial que genera el hecho de disponer del tiempo, donde muchos lo colocan voluntariamente dentro de su negocio, imagine si le adicionamos los talentos y los recursos económicos de dichas personas, y todo esto sin que a usted le haya costado prácticamente nada en términos de inversión financiera.

Imagine el poder de generación de riqueza que representa esta sumatoria de recursos, que además están empujando en el mismo sentido de negocios que usted, y creando riqueza con un potencial muy grande. Imagine tener una organización así, solo aportando usted su grano de arena.

No por casualidad esta forma de hacer riqueza es la forma que más millonarios está produciendo en el siglo XXI. De hecho, genera más millonarios porcentualmente hablando, que las clásicas carreras de Medicina o Derecho. Ésta es la nueva realidad, en la nueva economía, descubrir esto que estamos conversando lo vale todo, y entenderlo representa el camino a crear riqueza ilimitada, mientras ayudamos a otros a progresar también. Es una idea simplemente genial a mi parecer y comercialmente una bomba atómica en competitividad.

**POSTULADO NUMERO 4
DEL CAPITALISMO SOLIDARIO:**

MINIMA INVERSIÓN, MAXIMA RECUPERACIÓN DE LA INVERSIÓN

Si muchos colocan una pequeña porción de sus propios recursos y esto se multiplica por miles de personas, entonces tenemos el poder de disponer de recursos muy superiores a los propios, pero el riesgo para cada uno es mínimo, ya que este se divide entre todos los participantes. Al ser la inversión propia mínima, se facilita la recuperación en poco tiempo y con ello se minimiza el riesgo.

Esto a su vez conduce a que las utilidades se maximicen aun desde el mismo comienzo del proyecto, y por ende las ganancias comienzan casi de forma inmediata. Este método del capitalismo solidario, versus los tradicionales en los cuales generalmente se deben invertir grandes porciones de recursos financieros, representa una gran ventaja competitiva.

Me da mucha tristeza ver a tantas empresas y personas tratando de mantener su éxito pensando en tener el control, e invertir millones de recursos de modo propio, así como veo también con tristeza a millones de personas que pudiendo ser capitalistas solidarios siguen atrapados en la trampa del empleo, viendo como sus economías familiares se afectan con el pasar de los años.

Sumar los recursos de muchos para generar riqueza, no solo significa mínimo riesgo para todos, si no además significa maximizar resultados para todos.

**POSTULADO NUMERO 5
DEL CAPITALISMO SOLIDARIO:**

CADA UNO AGREGA A LA ECUACIÓN LOS RECURSOS QUE POSEE

"El capital financiero y el capital intelectual debe ponerlos una sola parte". Éste es un concepto de la era industrial. La nueva economía invita a cada uno a invertir lo que realmente dispone, lo que sí tenemos. El que posee capital financiero lo coloca, el que pose capital intelectual lo invierte y el que posee tiempo también lo pone. Cada uno agrega a la ecuación los recursos que posee y como consecuencia de esto, cada uno recibe una parte de la utilidad creada solidariamente. Así cada uno recibe una porción del resultado de todos estos recursos, que han sido enfocados en una sola dirección, es decir en el mismo negocio.

Usualmente, las empresas que practican el capitalismo

solidario crean una idea comercial, invierten en el producto, la administración, los sistemas informáticos, pero la fuerza de ventas, la distribución y el entrenamiento de los equipos los ponen cada uno de los socios independientes o franquiciados, quienes colocan su tiempo, relaciones, capital intelectual y talentos para hacer crecer el negocio de todos.

**POSTULADO NUMERO 6
DEL CAPITALISMO SOLIDARIO:**

LA DIVERSIFICACION
DEL RIESGO

La diversidad y pluralidad de los integrantes típicos de los negocios estructurados bajo la filosofía del capitalismo solidario, hacen que el riesgo para cada una de las partes sea mínimo, pues cuanto menos se necesita invertir menos se está arriesgando. Así también la posibilidad de éxito se multiplica por la sumatoria de los factores participantes y esto también minimiza el riesgo de comenzar un negocio de esta forma.

De modo contrario, el modelo clásico arriesga mucho más, pues quien más asume, más arriesga, y aun cuando para algunos de nosotros este precepto puede parecer sencillo de entender, la realidad es que muchas personas y compañías aun están en pleno proceso de asimilarlo. Es lo que yo llamo la Generación Empresarial Sándwich, que está en el medio de una transición de dos modelos de negocios, la era industrial y la nueva economía.

Es innegable que cada vez más empresarios tradicionales están en camino a reinventar sus negocios aligerando sus estructuras y empezando a competir con la idea de apalancar sus recursos y compartir las ganancias. Pero es en las nuevas compañías donde podemos ver como este fenómeno está ocurriendo con gran velocidad. Ellas están articulando sus estructuras de forma mucho más ligera para poder alinearse con los preceptos de la economía del siglo XXI. Si yo tuviese que comenzar una nueva compañía, ni siquiera pasaría por mi mente hacer una empresa con el formato de la era industrial.

**POSTULADO NUMERO 7
DEL CAPITALISMO SOLIDARIO:**

GENTE AYUDANDO A GENTE A AYUDARSE A SÍ MISMA

El servicio y la ayuda a otros son elementos indispensables del proceso colaborativo que detona el capitalismo solidario. El concepto de gente ayudando a gente a ayudarse a sí misma es sumamente poderoso y logra crear ventajas competitivas a quienes lo practican. Son ventajas que los demás no pueden contrarrestar hablando en términos de resultados.

Cuando se estimula a las personas a hacer algo que es innato en él y con esto me refiero al hecho de ayudar a los demás, de trabajar en equipo, creando camaradería y disfrutando del hecho mismo de compartir mientras se produce, se genera una fuerza sumamente poderosa que a su vez hace que los mismos miembros del equipo de trabajo sean los gestores del desarrollo de los demás miembros. Esto hace a las organizaciones muy inteligentes, pues imagine una estructura comercial donde aquellos que tienen mayor experiencia ayudan por interés propio y genuino a los miembros más inexpertos a alcanzar los resultados deseados lo antes posible.

Esta es la nueva moneda de cambio en los negocios de este tiempo, ya no se trata de gente explotando a gente y siendo mezquinos con el conocimiento, ya no se trata de gente manejando a otra gente, ahora se trata de que cada persona asuma un papel protagónico en el proceso de construcción del negocio independiente.

El poder de la colaboración para generar riqueza conjunta es poderoso. El servicio a los socios, el enseñar a otros para que sean más productivos son conceptos muy evolucionados que es necesario entender para realmente poder competir hoy.

**POSTULADO NUMERO 8
DEL CAPITALISMO SOLIDARIO:**

LA GENTE SIEMPRE ES MÁS IMPORTANTE QUE LOS RESULTADOS

"La gente siempre es más importante que el resultado". En la era industrial el resultado era siempre más importante que la gente, las personas solo eran piezas productivas dentro de una gran maquinaria. Los recursos humanos, aunque importantes, eran recursos prescindibles y reemplazables.

En la nueva economía y el capitalismo solidario, la gente es el recurso más valioso, y las organizaciones compiten por tener a los mejores en sus filas. Por tanto las personas que entienden esto migran hacia empresas que no solo los valoran, sino que además están dispuestas a agregarles valor constante, invirtiendo en ellos a fin de desarrollarlos al máximo posible de su potencial.

RESUMEN

POSTULADOS DEL CAPITALISMO SOLIDARIO:

1. **Nadie se hace rico solo.** Este principio rompe con la tradicional concepción de que alguien no necesita a los demás para triunfar.

2. **La riqueza solo es sostenible si es compartida.** Solo si el éxito esta sustentado en el éxito de otros, podrá trascender en el tiempo.

3. **La integración de los recursos solidariamente produce mayores resultados** que el uso de los recursos por separado.

4. **Minima inversión, máxima recuperación de la inversión.** Si muchos colocan una pequeña porción de sus propios recursos y esto se multiplica por miles de personas, entonces tenemos el poder de disponer de recursos muy superiores a los propios, pero el riesgo para cada uno es mínimo.

5. **El capital financiero y el capital intelectual no son colocados por una misma parte.** La nueva economía invita a cada uno a invertir lo que realmente dispone, lo que sí tenemos.

6. **El riesgo se diversifica.** La posibilidad de éxito se multiplica por la sumatoria de los factores participantes y esto también minimiza el riesgo.

7. **El concepto de gente ayudando a gente a ayudarse a sí misma logra crear ventajas competitivas.** El servicio y la ayuda a otros son elementos indispensables del capitalismo solidario.

8. **La gente siempre es más importante que los resultados.** En la nueva economía y el capitalismo solidario, la gente es el recurso más valioso, y las organizaciones compiten por tener a los mejores en sus filas.

EL EMPRENDIMIENTO

El empleo cada vez disminuye más, y su lugar está siendo ocupado por los negocios independientes, los negocios desde el hogar y con ello la sustitución del empleo por el emprendimiento.

La sistematización, la automatización y las estructuras menos pesadas y menos costosas están transformando el mercado en una versión moderna con compañías mucho mas eficientes y competitivas. Por eso quiero hablar directamente a los profesionales, trabajadores y en general a la clase media, pues emprender ya no es una opción, ante la realidad de la extinción progresiva del empleo emprender se ha transformado en una necesidad.

En otras palabras, si usted no tiene su propio emprendimiento está retrasado con respecto a la tendencia que lleva el Mercado. Por esta razón es muy importante que evalúe sus opciones y comience a construir su plan A como emprendedor. Si usted tiene un empleo comience entonces en paralelo un emprendimiento como plan B para que lo antes posible se convierta en su plan A.

Solo revisemos las estadísticas para constatar lo que estamos analizando. Actualmente en los Estados Unidos, aproximadamente el 80% de las familias de clase media y trabajadoras se encuentran en una situación donde al menos uno de los dos padres está desempleado o sub empleado.

Esto obviamente ha producido la respectiva consecuencia que quizás usted ya está viviendo, de una notable disminución de los ingresos y con ello de la calidad de vida. Pero el gran desafío para muchas personas consiste primeramente en entender esta realidad, rompiendo el paradigma que les nubla el entendimiento al respecto.

Debemos aceptar que el mundo laboral y empresarial está cambiando, y solo después de entenderlo y aceptarlo, podrá usted prepararse para el reto; el cual consiste en aprender a emprender, pero aprender a emprender de una forma actualizada y alineada con los preceptos de la nueva economía. Recordemos que muchos no saben cómo vencer la barrera mental del empleo, pues fueron preparados académica y culturalmente para él.

**PRINCIPIO NÚMERO 3
DE LA NUEVA ECONOMÍA:**

APRENDER A EMPRENDER

Es importante hablar sobre este tema, pues comprendo muy bien este asunto, ya que soy alguien a quien le pasó exactamente lo que voy a relatar a continuación.

Yo no fui educado para ser un emprendedor. Como muchos, lo tuve que descubrir y aprender a modo propio, pues el sistema educativo no estaba diseñado para tal fin. Por el contrario, estaba creado para formar empleados. Pero la realidad es que ahora el emprender ya no es opcional, actualmente simplemente debemos estar preparados y además debemos apurarnos y comenzar rápidamente el proceso de aprender a emprender.

Es un proceso que debe hacerse partiendo de hacerlo dentro las reglas actuales. No sirve hacer las cosas como alguien nos quiere convencer que deben ser, tiene que hacerse alineándose al paradigma de hoy.

Soy alguien con educación formal universitaria en negocios y estoy agradecido por haber tenido esa maravillosa oportunidad de formarme en una carrera tan útil para mi vida.

Pero la verdad es que mi mayor aprendizaje sobre la realidad del mundo de los negocios proviene de entender que debía ser un autodidacta, lo que por cierto es un gran realidad de la nueva economía, pues la educación formal –aunque soy un defensor a ultranza de ella–, hoy está cambiando en forma dramática y necesita definitivamente ser complementada para proveer a un individuo los elementos necesarios para competir en este nuevo orden económico.

En este tiempo un alto porcentaje de lo que necesitamos saber proviene de la formación continua y autogestionada. Es decir, una instrucción de la cual debemos ser gestores personales, pues la educación formal está siendo cada vez más lenta y costosa con respecto a la velocidad a la que necesitamos prepararnos para seguir el ritmo de los acontecimientos actuales.

Sin embargo, sé que es difícil que las personas asuman la responsabilidad de su autoformación, pues muchos viven en el pasado confiados en que lo que aprendieron previamente es suficiente, o simplemente por la indisciplina y falta de constancia para llevar un proceso como éste.

Definitivamente, o nos actualizamos día a día para mantenernos vigentes y estar preparados al reto veloz y dinámico de este tiempo, o las nuevas y variantes realidades nos avasallarán.

CONSEJOS PRÁCTICOS
PARA APRENDER A EMPRENDER

Quiero entregarles algunos consejos prácticos que personalmente me han ayudado mucho:

1. **La educación formal y presencial ya no es la forma más efectiva** de estar preparado para competir en la nueva economía. Las opciones virtuales cada vez cobran mayor vigencia. Solo por el hecho del tiempo que lleva tomar clases en el modelo clásico ya lo hace poco funcional en este tiempo, pues ahora mientras se estudia hay que correr en la carrera productiva que demanda mucho más que en tiempos anteriores. Estudiar por módulos y cursos se está convirtiendo cada vez más en algo funcional.

2. **Estudie y aprenda de quienes tienen resultados,** no de los que hablan o escriben bonito. ¡Lamentablemente, hay tantos impostores que sin poder probar nada, se atreven a escribir y tratar de enseñar a otros! Así que tenga cuidado con ellos y aprenda de aquellos que pueden probar lo que dicen con resultados. No acepte más a los impostores que tratan de vender algo que no saben en realidad y que nada pueden probar con resultados sostenidos a través del tiempo.

3. **Encuentre uno o varios mentores.** En mi opinión es muy difícil lograr grandes cosas solo, asegúrese de que su mentor sea alguien que lo aprecie, que viva con congruencia lo que predica, es decir que enseñe algo que ya ha hecho. Huya de los teóricos.

4. **Únase a una red de mercadeo que posea un sistema formal y profesional de capacitación.** Es una excelente forma de

aprender conceptos actuales y efectivos para negocios ági-
les y actualizados, así como aprender a construir relaciones
humanas exitosas. Además, ésta es una forma económica de
acceder a toda esta información.

5. **Desarrolle un robusto hábito de lectura.** Esto cada vez mas
   tristemente se convierte en algo raro en las nuevas generaciones, pues no gustan de la lectura educativa.

6. **Aprenda de aquellos que lo rodean, por tanto rodéese de
   gente de la que pueda aprender.** Rodéese de personas de
   su nivel hacia arriba, aquellos que lo rodean serán quienes lo
   estarán influyendo día a día.

7. **Si usted es bueno en algo, enséñelo.** Esto además de ser un
   principio del capitalismo solidario, le permitirá aprender verdaderamente el tema que enseña, pues cuando uno enseña, es
   cuando verdaderamente aprende.

En este tiempo, al éxito le encanta la velocidad.

8. **Se trata de aprender, adaptarse y reinventarse todo el tiempo.** En la nueva economía, las cosas van tan rápido que a menos que tomemos la decisión de ser buenos gerentes de nuestra educación, no podremos competir exitosamente. Hay que
   romper los paradigmas lo más rápido posible y mañana estar
   dispuesto a hacerlo de nuevo.

9. **La gran realidad en este respecto consiste en que la gran
   mayoría, aun cuando poseen una semilla del tal valioso espíritu de emprendimiento, no están preparados para hacerlo**,
   pues el sistema educativo del cual proceden los formó para
   ser dependientes y trabajar para una empresa cuidando dicho
   empleo por la mayor cantidad de tiempo posible. Se les dijo,
   "obtengan buenas calificaciones y con eso obtengan el mejor
   empleo posible", sin embargo el gran detalle es que esto era

factible en la era industrial, para la cual este sistema educativo que formaba dependientes fue creado, nunca se pensó en fomentar y educar al individuo para ser un emprendedor.

10. **Los empleos en Estados Unidos actualmente duran un promedio de cinco años –en lugar de los 30 que duraban hace cinco décadas–, y cada día se tornan más y más inestables.** Esta situación no solo hace que la gente no sepa desde el punto de vista de formación cómo emprender adecuadamente, sino que además esto les genera muchos temores, pues su formación los preparó para tener la seguridad del empleo como principal activo y no el riesgo necesario del emprendedor.

11. **Quien se siente cómodo con el desafío como su principal activo, posee el necesario espíritu del emprendimiento.** Es decir, ya posee lo indispensable, pues el verdadero riesgo consiste en depender de otros para tener estabilidad en la economía personal. Un riesgo alto es confiar en empresas que cierran todos los días, eliminando cientos de puestos de trabajo.

12. **Riesgo es no poder crecer financieramente porque es imposible cambiar más horas por dinero,** como lo hace un empleado. Considero por tanto que el verdadero riesgo es que alguien llamado jefe, decida qué, cómo y cuándo usted funcionará. Muy pocos podrán alcanzar riqueza de esa manera.

Nunca el cambiar horas por dinero es la vía más certera y fácil para llegar a la riqueza financiera.

13. **El emprendedor de hoy debe romper esos temores, tanto mentales como emocionales** y prepararse en el proceso de comenzar su propio negocio. Definitivamente lo creo, y también creo fervientemente en la libre empresa. Pienso que es ese espíritu el que mueve la economía y empuja a la humanidad hacia adelante.

14. **Definitivamente, o emprendemos en el siglo XXI o financieramente nos estamos condenando a un ingreso limitado.**

15. **Los asuntos mentales y emocionales limitan a muchos** para hacer algo para lo que no fueron entrenados, estos conspiran negativamente en muchos de los intentos de la gente por ser independiente.

16. **La verdad no es que las oportunidades sean escasas, o que tener éxito sea difícil,** la realidad es que generalmente la persona tiene dificultades para vencer los retos personales para alcanzar aquello que desea.

17. **Por supuesto, la tendencia es culpar a otros**, o a los propios negocios, pero la responsabilidad de todo, se resume a nosotros mismos.

18. **La buena noticia es que históricamente éste es el mejor momento para emprender.** Los negocios de redes de mercadeo son definitivamente una excelente opción para comenzar la masificación de los productos. La tecnología y el comercio electrónico permiten competir con hasta solamente 10% de los recursos requeridos en la era industrial y a su vez permite producir resultados 10 veces más rápido que hace 50 años.

Así que ¡adelante! No arriesgará mucho si emprende aplicando los principios de la nueva economía y el capitalismo solidario.

19. **Podría decir que solo falta agregar a este análisis que es importante no tomar las cosas como algo personal**, así como aprender a tener la paciencia necesaria, al igual que una gran cuota de perseverancia que es tan importante como desarrollar una visión de largo plazo, pues la falta de visión de largo alcance en mi opinión es una epidemia mundial.

20. La gente hoy por hoy sufre de algo que llamo **"MIOPIA DE LA CERCANIA"**, TODO LO QUIEREN RAPIDO Y NO VEN MÁS ALLÁ DE LAS CIRCUNSTANCIAS DEL MOMENTO.

21. **Todo tiene su proceso y se requiere la habilidad de ver más alla de lo evidente.** La curva de aprendizaje es necesaria, sobre todo para las personas de 35 años o más, pues los más jóvenes aun cuando necesitan descubrir muchas otras cosas, ya nacieron siendo parte de la nueva economía y para ellos –de acuerdo a las estadísticas–, emprender es mucho más normal y natural. Ellos quieren independencia, hacer negocios por internet, trabajar desde el hogar, pues para ellos es simplemente común y natural.

"RIESGO

Es no poder crecer financieramente porque es imposible cambiar más horas por dinero, como lo hace un empleado.

Considero por tanto que el verdadero riesgo es que alguien llamado jefe, decida qué, cómo y cuándo usted funcionará. Muy pocos podrán alcanzar riqueza de esa manera".

HABILIDAD DE IDENTIFICAR Y ADAPTARSE RÁPIDAMENTE A ESTE TIEMPO

Hablando de manera simple, tenemos nuevas reglas de juego, y la versatilidad mental debe permitirnos romper los viejos esquemas y comprender que en la era de la tecnología y el internet los negocios son simplemente diferentes.

El condicionante adicional de adentrarse en la dinámica de este nuevo esquema consiste en la velocidad con la que ocurren las cosas. Lo he mencionado antes, pues no solo es importante alinearse con las tendencias presentes, además se debe hacer rápido.

ADAPTARSE A LOS PROSUMIDORES

La demanda de los consumidores del siglo XXI es diferente. Ellos quieren más que precio y calidad. Quieren y demandan valor agregado. Es valor agregado expresado normalmente en forma de conocimiento sobre lo que compran. Ellos quieren que se les dé mucho más. Quieren ser participativos y no solo pasivos.

A este concepto se le conoce como PROSUMIDOR. Es decir, un consumidor proactivo, que además de comprar algo, quiere interactuar con el fabricante, quiere ser recompensado por su compra, quiere saber más y conocer más.

Un ejemplo de esto lo representa la simple compra de un reloj. El consumidor de este siglo espera que dicho equipo no solo le diga la hora, él desea además que le permita por ejemplo monitorear su salud, él espera que el fabricante facilite un programa que permita la interpretación de los resultados, consejos, recetas y demás.

De esa misma manera, también espera recibir algún tipo de estimulo financiero por la recomendación de la compra del producto. Cada día es más y más importante todo esto para el nuevo tipo de consumidor. Como decía previamente, ahora son PROSUMIDORES, activos y participativos tanto como sea posible.

Hoy los consumidores no son tan fieles como antes. Lo que los lleva a la fidelidad actualmente es el valor agregado que el fabricante les ofrezca, ya que en un mundo de compras cada vez más digital, la relación entre vendedores y consumidores es cada vez mas fría. La entrega del producto en el hogar, la comodidad y la valoración de la opinión son características que el prosumidor demanda.

**PRINCIPIO NÚMERO 6
DE LA NUEVA ECONOMÍA:**

LA TECNOLOGÍA

Definitivamente, en la nueva economía la tecnología marca la pauta. Por ello para competir hay que hacerlo actualizando los medios de interacción con el consumidor a un ritmo veloz.

Las nuevas generaciones lo establecen como condición para comprar, y no invertir en ello es detener el crecimiento de cualquier empresa.

LA SISTEMATIZACIÓN

La sistematización, así como la automatización de los procesos, las estructuras empresariales ligeras, la administración simple y la disminución de los procesos manuales son aspectos vitales a comprender en el mundo competitivo de la nueva economía.

LA LIBRE EMPRESA

La libre empresa como concepto en la nueva economía es definitivamente la vía más rápida y directa a la generación de riqueza. Es la libre empresa, que siendo una consecuencia del emprendimiento como factor determinante en el siglo XXI, lo que marca el avance social que el capitalismo solidario presenta.

PRODUCTO O SERVICIO GANADOR

Este debe ser diferenciado dada la existencia de tantos productos en el mercado y ser preferiblemente de consumo masivo. La especialización de un producto en este tiempo hace al negocio vulnerable y frágil. También debe ser competitivo en precio, con gran capacidad de distribución preferiblemente global y que cuente con respaldo y credibilidad suficiente que pruebe que es un producto de alta calidad.

INGRESOS PASIVOS

Cambiar horas por dinero, como expliqué y como lo plantea el sistema de empleo, es cada vez menos efectivo para generar riqueza. Los nuevos conceptos conducen a generar ingresos pasivos, ingresos residuales, que provienen de la compra automática de productos y servicios por parte de consumidores que lo hacen una y otra vez. El modelo de negocios de la nueva economía permite esa forma inteligente de crear riqueza, que se opone a la tradicional relación de dependencia, ya sea como empleado o como auto-empleado que se limita a tener un ingreso fijo, pues ¿quién puede tener más horas para hacer más?

En este sentido me gustaría regalarle una frase que dice:

"SI NO APRENDES A GENERAR INGRESOS MIENTRAS DUERMES, TRABAJARÁS DURANTE TODA LA VIDA".
O generamos ingresos residuales, o correremos tras el dinero siempre.

NOTA IMPORTANTE: Muchos de los conceptos que expongo en este libro sobre capitalismo solidario los aprendí del Sr. Rich D'Vos, autor del libro CAPITALISMO SOLIDARIO (Compassionate Capitalism, People Helping People Help Themselves, 1994) y de quien pude absorber mucho de lo que me ha ayudado a triunfar en la nueva economía. Considero al señor D'Vos un visionario muy adelantado a su tiempo.

Capítulo Dos

El EMPLEO, CRÓNICA DE UNA MUERTE ANUNCIADA

*"Walmart cerrará 269 tiendas este año,
afectando a un total de 16.000 trabajadores.
De estos 16.000 asociados –o trabajadores–
afectados, 10.000 viven en los Estados Unidos".*

CNN Money, 16 de enero de 2016

El gran desafío para muchas personas inicialmente consiste en entender ésta abrumadora realidad, que ya hemos esbozado en el capítulo anterior. Pero es importante recalcar que el mundo laboral y empresarial está cambiando, pues ya la economía no necesita tantos empleos.

De hecho, en estos momentos en que me encuentro escribiendo este libro están ocurriendo cierres de grandes tiendas que al desaparecer están dejando sin empleo a cientos de personas. Hay que aclarar que son negocios muy exitosos que nadie podría imaginar que estarían cerrando sucursales.

Por ejemplo, una gran empresa como Walmart, en proceso de adaptación al nuevo modelo, está eliminando 269 tiendas. Con esta decisión, 16.000 empleados están quedando sin trabajo. De ellos, 10.000 están en los Estados Unidos –esto lo dice la revista Forbes–. Otras fuentes que he consultado mencionan también el cierre de muchas tiendas de la cadena Macy's, así como de las tiendas Limited en los Estados Unidos. Estas compañías no están quebrando, sino que se están adaptando a un nuevo modelo de negocios. Quienes antes se empleaban en este tipo de empresas, también van a tener que hacerlo.

Después de aceptar esta realidad, –que dicho sea de paso es una tarea difícil para muchos que han sido formados mentalmente bajo la estructura socioeconómica del empleo–, es ahora importante aceptar las nuevas reglas del juego, ya que al aceptar entonces comienza el proceso de cambiar y el cambio en este sentido se refiere a estar preparado para emprender en los términos demandantes de la nueva economía.

La mayoría de las personas, al no estar académica o profesionalmente capacitadas para el emprendimiento como forma de vida de negocios, encuentra incontables obstáculos que suelen convertirse en excusas para no enfrentar los desafíos del emprendimiento. Los miedos que suelen aflorar, son el temor a lo desconocido, a salir de la zona de comodidad que hace que muchos no se atrevan o lo hagan de manera tímida al tratar de crear su propio camino de negocios mediante el emprendimiento en lugar del empleo.

En mi caso personal, tuve que aprenderlo, pues al provenir de una familia económicamente no muy solvente, me vi llevado a desarrollar un casi obligatorio espíritu de emprendedor desde muy temprana edad, pues las circunstancias así lo demandaban, y aun cuando tuve la oportunidad de disfrutar de una educación formal en el área de negocios, no fue en la universidad donde la semilla del emprendimiento prosperó dentro de mí.

Es este el camino que cada día se hace más real y necesario para construir un futuro financieramente atractivo. Y más allá de un futuro, hay un presente que nos pide a gritos entender que el empleo se está extinguiendo.

Mi consejo es que NO SIGAS, ¡COMIENZA! Empieza a construir tus opciones de independencia financiera, haciendo para ello lo que sea necesario y tan pronto como puedas.

Capítulo Tres

MEGATENDENCIAS ECONÓMICAS EN LA NUEVA ECONOMÍA

*Identificar las megatendencias y participar a tiempo
en las que están creando disrupciones es importante,
pero no necesariamente señalan el camino al éxito.
Las disrupciones que alcanzan gran éxito son las que
se ubican dentro de las tendencias de manera
inteligente y rápida.*

En la nueva economía existen importantes tendencias tanto de consumo, como en la forma de comercializar los bienes y servicios. Este capítulo tiene como objetivo develar cuales son las tendencias de este tiempo, mientras me aseguro que cuando usted emprenda un negocio lo haga tomando una tabla de surf y suba sobre la ola de una de estas tendencias, en lugar de ir contra corriente, quizás con la mejor actitud pero en el sentido contrario a lo que las tendencias indican.

Es mi intención que usted disponga de la más clara, extensa y bien documentada información para que decida de la mejor manera posible. Por tanto, dividiremos este capítulo en dos partes, una dedicada a las tendencias de consumo, es decir cuales son las prioridades de compra de la gente actualmente, y la otra dedicada a la forma de distribución vigente en la actualidad.

TENDENCIAS DE CONSUMO EN LA NUEVA ECONOMÍA

Las tendencias de consumo predominantes en la nueva economía son básicamente cinco grandes olas de productos y servicios, dentro de las cuales se expresan las preferencias de compra de los usuarios en este tiempo.

Vamos a enumerar estas tendencias en orden de importancia en cuanto a volumen de consumo, a fin de que usted pueda tomar esta información en cuenta a la hora de elegir en qué área de negocios participar y qué tipo de productos o servicios comercializar.

#1 - BIENESTAR Y SALUD

Esta área incluye todo aquello lo relacionado con la nutrición y suplemento de la dieta. Este rubro cada vez es más creciente, ya que actualmente existe una enorme deficiencia nutricional en la población mundial, aun en países desarrollados, donde vemos cientos de productos procesados y repletos de químicos con bajo nivel nutricional.

Por eso el mundo ya descubrió que debe suplir dichas carencias con suplementos y complementos, esto hace a esta industria muy grande y se mueven millones de dólares diariamente. Lo interesante es que esta tendencia no se detendrá, pues cada día es más difícil comer adecuadamente.

Por cierto, sobre este aspecto están hablando los expertos cada vez mas, y en su mayoría aseguran que es la falta de nutrientes la causa de la mayoría de los problemas de salud. Como dicen los asiáticos, y es algo que he escuchado desde niño, "somos lo que comemos".

Esta tendencia también incluye todo que representa lo

natural, libre de químicos, lo que se relaciona con ejercicios, cuidados de la piel, productos de belleza, verse bien, control del peso, anti-envejecimiento, y en general todo lo que incluye el lucir y sentirse bien.

Actualmente, los consumidores del mundo valoran como parte de una gran tendencia de compra, el cuidarse. Lo consideran algo prioritario en la vida y muchas personas están aceptando que deben ser gerentes responsables de su propio bienestar, invirtiendo en ello un porcentaje importante de su presupuesto.

#2 - TECNOLOGÍA

Como negocio, no necesita mayor explicación porque todo lo que existe será innovado muy pronto, y reemplazado. La tecnología como tendencia de consumo y su correspondiente caudal de negocios es simplemente indetenible y obvia, por tanto esta área representa definitivamente una tendencia atractiva y rentable para emprender un nuevo proyecto empresarial independiente.

#3 - EDUCACIÓN

La educación posee inagotables oportunidades comerciales. El conocimiento representa una insaciable necesidad en los seres humanos, y es en este tiempo que algunos han llamado la "era del conocimiento", cuando el consumo de éste es cada vez más voraz, lógicamente facilitado por el acceso a las tecnologías que facilitan el acceso a una incalculable cantidad de información y conocimientos.

Eso hace que esta tendencia sea incalculable en cuanto al potencial de oportunidades de negocios que presenta. La educación nunca pasará de moda, por tanto aquel que venda conocimiento y más si está ayudado por la tecnología, siempre estará en tendencias de consumo.

#4 - ENTRETENIMIENTO

Aquí encontramos otra de las cinco grandes tendencias de consumo en el siglo XXI. El stress galopante es tan abrumador en la sociedad actual que la necesidad de entretenimiento en sus diferentes formas es una industria creciente y altamente demandada. Casos como las empresas Disney, los video juegos, el cine, y los deportes, son solo algunos ejemplos que podemos citar y que evidencian las incontables oportunidades que existen en el entretenimiento como negocio.

#5 - SEGURIDAD

Con un mundo cada vez más inseguro, todo aquello que provea protección, seguridad, paz y tranquilidad, definitivamente es altamente demandado por los consumidores de este tiempo. Seguros, sistemas de vigilancia, equipos de protección y alerta personal, servicios de información, etc., son muy buena opción de inversión para comenzar un proyecto de negocios en la nueva economía.

B LA DISTRIBUCION COMO TENDENCIA EN LA NUEVA ECONOMÍA

Esta sección la comenzaremos estableciendo un principio fundamental de la nueva economía, el cual espero que usted atesore y comprenda en profundidad, pues representa un elemento que cambia el juego en la forma de asimilar y hacer negocios en esta era, me refiero al principio que dice:

*"En la Nueva Economía
quien controla la distribución,
controla el mercado, no lo hace
quien controla el producto".*

Esto no quiere decir que el producto o servicio a distribuir no sea importante, pero actualmente poseer una red de distribución, ágil, eficiente y global es fundamental.

Hoy por hoy existe tanta oferta de todo tipo de productos que lo que usted vende le puedo garantizar que pronto será copiado. Eso significa que las ventajas competitivas en el siglo XXI, tienden a ser de muy corta duración. En el mercado, alguien reproducirá y mejorará su producto muy rápido, alguien lo fabricará más económico, y esto va a pasar en muy corto plazo.

Sin embargo, quien controla la distribución y las vías para hacer que las cosas estén en el momento y lugar correcto, de manera fácil, rápida y económica, tiene la gran ventaja.

Bajo este pensamiento quiero subrayar algo muy importante, y tiene que ver con la palabra RED, la cual ahora menciono en este libro por primera vez, y que considero que es quizás la palabra más importante de todo el contenido del mismo, las REDES DE PERSONAS son de hecho la piedra angular del éxito en la nueva economía.

Por tanto quiero reiterar esta idea, **"quien controla la distribución, ése es el que gana"**. No es por casualidad que este sea el activo de mayor valor económico en la ecuación de emprendimiento de hoy, pues es la red la que produce y sostiene las ventas.

Si después de leer todo este libro, para usted solo quedara este concepto suficientemente claro y usted lo logra incorporar en su pensamiento de negocios y lo pone en práctica utilizando el poder contenido en él, seguro obtendrá los resultados extraordinarios que encierra este enorme potencial comercial, y yo me sentiría satisfecho, pues su inversión en leer este libro se habrá justificado totalmente.

En este sentido, los modelos de negocios que en mi opinión tienen mayor potencial y que proveen las mayores posibilidades de llevarlo al éxito son aquellos que incorporan las redes dentro de su estructura y estrategias competitivas. De acuerdo a las características de la nueva economía y el capitalismo solidario, las redes humanas favorecen la capacidad de competir y ganar en este complejo sistema de negocios del siglo XXI.

Por ello, y aun cuando las redes humanas como concepto son aplicables de diferentes formas y áreas, quiero enfocarme en este libro en la que considero la más actual y eficiente forma de aplicar esta estrategia, compitiendo así de forma más efectiva en la nueva economía.

Me refiero a las redes de mercadeo, o en inglés NETWORK MARKETING, que representa una gran idea, tanto para los emprendedores como para las empresas de este siglo.

Considero que esta forma de hacer distribución es la vía alineada a la tendencia presente de comercialización de productos y servicios que puede generar de la manera más inteligente y simple posible la creación riqueza, y que además cuenta con muchos beneficios y ventajas sobre los modelos de la era industrial.

Beneficios y ventajas de las redes de personas:

- Generación de ingresos pasivos.
- Facilidad de hacer negocios desde el hogar, reduciendo gastos y costos de operación.
- Bajo riesgo.
- Mínima inversión.
- Gran potencial de ingresos.
- Libertad de tiempo, no horarios rígidos.
- Potencial global de negocios. Las redes de distribución, permiten globalizar los negocios muy rápido y de manera muy eficiente.
- Uso efectivo de la tecnología para potenciar el negocio.
- Sistemas de capacitación de recursos humanos de manera económica, rápida y muy interesante.
- Apalancamiento de recursos, sumatoria de recursos de muchos, con fines comerciales comunes.
- Creación de relaciones humanas de gran valor. El capital relacional es un activo comercial muy importante en la era de la nueva economía.

Pareciera que este modelo de hacer negocios contiene todos los elementos que definen a un negocio perfecto. La verdad es que nada es perfecto, por eso recomiendo revisar con cuidado quirúrgico esta estrategia comercial, pues sus resultados están como tendencia actual probada, generando una verdadera revolución en el mercado .

Solo imagine el poder comercial de construir una red de distribución de cien personas comercializando productos y atrayendo a nuevos distribuidores a hacer lo mismo, con una inversión pequeña de dos horas al día cada uno, invirtiendo además sus talentos y credibilidad. Adicionemos a esto la inversión de algo de dinero que multiplicado por cien personas se convierte en una cantidad importante, y así tenemos una situación donde muchos recursos están siendo invertidos en su red de negocios y con ello se incrementa la posibilidad de obtener resultados financieros que solo con sus recursos propios sería difícil de lograr, y esto suponiendo que usted dispusiese de recursos para invertir.

Piense el poder comercial de más de doscientas horas hombre por día que nos muestra este ejemplo, horas de labor que están siendo invertidas por muchas personas y que están empujando a favor de su negocio. Todo esto sucede sin que usted haya invertido ni un centavo en ellos. ¿Podría usted pagar el talento de todas estas personas? ¿Podría usted disponer de los recursos necesarios para crear usted solo un negocio que produce miles de dólares con el trabajo y esfuerzo sumado de estas cien personas?

El poder de construir una red de distribución, cumple además con el principio que permite generar ingresos residuales.

Este principio dice así:

"ES PREFERIBLE EL 1% DEL ESFUERZO DE 100 HOMBRES, EN VEZ DEL 100% DE SU PROPIO ESFUERZO".

–Jean Paul Getty

UN INMENSO POTENCIAL DE NEGOCIOS

El potencial de crecimiento y escalabilidad de este concepto, si se dispone de las condiciones correctas desde el punto de vista de haber elegido a la empresa que se convierta en el socio comercial correcto, y por supuesto siempre y cuando se tenga la actitud correcta para triunfar en el mundo de los negocios, representa un potencial impresionante de negocios.

Esta, en mi opinión, es la fórmula ganadora que a la gran mayoría le puede dar una genuina oportunidad para generar riqueza sostenida y real en la nueva economía. Por supuesto, el esfuerzo y trabajo deben ser invertidos desmitificando la idea de que la gente se hará millonaria de la noche a la mañana, pero créame que con la debida perseverancia, ¡funciona!

Partiendo de esta idea, me gustaría que analizáramos juntos esta llamada industria del mercadeo por redes, ya que definitivamente y más allá de las opiniones de muchos que aman o detestan esta forma de hacer negocios, el mercadeo por redes o como también es conocido redes de venta directa con sus diferentes variantes, representa una de las grandes tendencias de negocios de este tiempo.

Pero sobre este asunto de las variantes o formas del mercadeo en red, quisiera aclarar conceptos, pues está muy difundido como creencia popular el creer que todo el mercadeo directo, es mercadeo MULTINIVEL, una afirmación que no es cierta, pues el multinivel es cuando existen niveles para realizar los cálculos y respectivos pagos de comisiones dentro de los planes compensatorios de las compañías.

La verdad es que existen compañías que pagan por volumen de facturación o venta, y no basan sus negocios en red en estructuras, rangos o niveles. Haciendo que los multi-niveles, sean solo una parte de la estrategia de las redes de mercadeo.

Lamentablemente, el desconocimiento producido por la falta de profesionalismo de muchos dentro de este tipo de negocios, ha producido este paradigma que hace que muchos crean que todas las redes son multinivel o conceptos piramidales ilegales.

Así mismo, la gran mayoría no sabe que la base conceptual del negocio que practican se llama capitalismo solidario. De hecho, ni siquiera muchos han escuchado este nombre. Por ello siempre reitero que solo se debe seguir y aprender de verdaderos profesionales del network marketing y si decide incursionar en esta maravillosa industria, hacerlo con el objetivo de convertirse en uno de ellos. La base filosófica de este tipo de negocios, es el capitalismo solidario.

Desconocerlo es factor de serias dificultades y una connotada falta de profesionalismo dentro de esta tendencia comercial. Esto para mí es similar a decidir ser doctor en Medicina y desconocer el juramento hipocrático, eso eliminaría la base ética y compromiso de servicio que un médico debe poseer y de allí en adelante convertir a la práctica de la profesión en algo netamente mecánico y comercial.

Quisiera abordar el tema de la mala percepción que muchos tienen sobre este tipo de negocios y que hace que lo adversen.

De hecho, quisiera detenerme aquí rápidamente para tratar de analizar objetivamente el por qué de esta mala reputación, y por qué muchos no comprenden el poder de esta industria que genera como negocio cerca de 200 billones de dólares tan solo en el año 2015, representando más ingresos que la NFL (9.5 billones de dólares), la industria de la música (16.5 billones) , los videojuegos (67 billones), la industria del cine (80 billones), y las ventas de productos orgánicos (91 billones de dólares).

¿POR QUÉ ALGO TAN GRANDE Y RENTABLE ES PERCIBIDO DE MANERA INADECUADA POR TANTAS PERSONAS?

Deseo compartirles mi punto de vista al respecto, después de haber participado en las redes de mercadeo durante 26 años ininterrumpidos, construyendo equipos de distribución a nivel mundial y gracias a lo cual creo haber creado un criterio válido y basado en resultados.

Además, he podido vivir este tipo de negocios desde muy joven, ya que empecé en mi etapa de estudiante universitario, lo cual me da una visión desde diferentes ángulos del tema, ya que en el inicio fui un absoluto inexperto y novato en el tema. Ni siquiera tuve el beneficio de poder investigar desde el internet. Mis recursos eran muy limitados, yo era en ese entonces un entusiasmado y soñador joven que quería conquistar el mundo viviendo en un pais de Latinoamérica y con enormes deseos de progresar financieramente.

Con toda esta energía, encontré en las redes de mercadeo una gran escuela y al mismo tiempo una maravillosa oportunidad de convertirme en un empresario, escritor y conferencista de clase mundial. Este negocio me ha dado la oportunidad de ser asesor de varias compañías dentro de la industria, así como de diversos líderes dentro de ella.

Pero volviendo al tema del desagrado que muchas personas sienten hacia las redes de mercadeo, toda esta trayectoria me permite entender por qué este fenómeno está ocurriendo. Sé que se trata de algo muy real, y en mi opinión este efecto es producido ya que muchos han tenido experiencias personales o con alguien cercano que no han sido las mas satisfactorias y que en el 90% de los casos tiene que ver con dos factores.

Uno de ellos se relaciona con la gente, ya que como es tan facil entrar en este tipo de negocios todo el mundo puede hacerlo y con ello viene la improvisacion, la falta de profesionalismo y las decepciones y esto es traducido en desastres en el contacto y exposicion del concepto a otros.

Si a esto le agregamos la lamentable participación de aquellos que no tienen principios éticos, y aprovechan el momento y la oportunidad para hacer incontables cosas indebidas y manipular la buena fe de los demás, causando de con su falta de integridad y profesionalismo un terrible daño a la creencia de las personas, y a la imagen del negocio. Entonces, puedo darles la razón a todos ustedes y saber que su percepción sobre la industria de redes de mercadeo ha sido lastimosamente mala y real.

Sin embargo, no todo es malo. Por el contrario, hay muchos profesionales éticos y trabajadores que hacen de este negocio una oportunidad genuina, digna y muy rentable. Esto sin mencionar lo adecuado que éste negocio es dentro de la nueva economía.

LOS NÚMEROS SON LOS NÚMEROS

La industria de redes se ha empañado como consecuencia de las mismas características de la industria, que busca dar oportunidades lo más igualitariamente posible a todos y que todos puedan participar. Esa falta de filtros permite que se manifiesten también los comportamientos humanos típicos, donde algunos tratan de tomar ventaja de otros y encontrar los atajos para ganar algo.

Yo deseo que los profesionales y empresarios del mundo, así como la gente trabajadora y de buenos principios sepan que este tipo de negocios es muy rentable y que hay muchos que como yo hemos disfrutado de oportunidades enormes a través de él, y que es una tendencia mundial irreversible. Para comprobarlo, solo vea los números, que pueden ser fríos pero son reales.

Estos resultados van más allá de las opiniones que suelen ser muy subjetivas y dependen de la experiencia y paradigmas de cada uno, pero los números son los números.

Quiero decirles, que las redes de mercadeo han crecido como negocio año por año desde que fueron establecidas a nivel comercial ya hace mas de 60 años.

ENCUENTRE SU NICHO DE MERCADO

El otro asunto que pienso genera la aversión al negocio es el tema del rechazo, ya que al ser un negocio que involucra el contacto humano, se encuentra con muchos que estarán de acuerdo con lo que hacemos y muchos otros en oposición o en simple desacuerdo.

Esto constituye un reto para algunos, pues lo interpretan como un rechazo personal. Toman la opinión contraria de otros como algo personal, y no debe ser así. Solo se trata de mercadeo, de negocios, no es algo contra las personas, para mí es un asunto de estadísticas. Alguien estará alineado con su visión o con su producto, otros simplemente no lo estarán.

Creo que cada uno debe encontrar el nicho de mercado que si quiere comprar lo que está comercializando, y con ellos construir su negocio. Esto ocurre con todas las marcas y productos, a algunos les gusta y a otros no. Nadie le vende al 100% de los consumidores, pero muchos sí compran productos y servicios mediante redes de mercadeo. Facturar 200 billones de dólares en una prueba muy contundente de que el pie de negocios de redes es muy grande.

La diversidad hace que exista la libre competencia y eso es totalmente real y válido, al confrontarlo es cuando muchos toman el asunto personal y para evitar el rechazo de sus ideas prefieren hacer actividades donde el rechazo sea mínimo. He aprendido que es el EGO el que se siente rechazado y ofendido, y eso más un tema de carácter que de estrategia comercial.

Si a estos dos aspectos le agregamos los que yo llamo

"los mercenarios de las redes de mercadeo", que son aquellos que toman ventaja de las buenas intenciones de los demás y sacan provecho de ellos, saltando de compañía en compañía, dañando el nombre y reputación de las empresas, así como de la industria en general, puedo entender por qué algunos sienten desconfianza por este tipo de negocios.

También es importante mencionar en este análisis el elemento legal.

Es cierto que siendo esta industria tan apetecible como idea comercial y tan ponderosa la capacidad de producir dinero, representa un enorme atractivo para los ya mencionados mercenarios –vale decir que también existen a nivel corporativo no solo a nivel de distribuidores–. Estas personas crean empresas al borde de la legitimidad legal y presentan propuestas engañosas al mercado, entonces aquellos que lamentablemente compran estas promesas viven las consecuencias de hacer una elección equivocada.

CONSULTE LAS ESTADÍSTICAS

La buena noticia es que la industria es real, multimillonaria y muchos están obteniendo resultados muy buenos y generando verdadero éxito dentro de ella.

Conozco muchos casos así, solo debemos revisar las estadísticas que muestran que en el continente americano actualmente alrededor del 10% de la población vive de ingresos generados por actividades en redes de mercadeo, tanto a tiempo completo, como tiempo parcial, algunos generando ingresos muy grandes y otros ingresos extras.

También hay millones de personas que han participado de una o varias empresas en red y que actualmente no están activos, producto de las decepciones de las que hemos estado hablando, pero la realidad es que la mayoría sabe que el negocio de redes es bueno. Solo están a la búsqueda de la empresa y personas correctas para regresar y tomar la oportunidad que alguna vez visualizaron de tener un mejor futuro financiero, mediante las redes humanas de distribución.

Pero así como existen pillos y personas poco profesionales en el negocio, también existe una gran verdad que muestra que grandes compañías cada día convierten sus estrategias de negocios hacia redes de mercadeo o venta directa.

Igualmente, muchas más nacen día a día con esta estrategia desde el principio y los números siguen creciendo. Adicionalmente, se estima que ésta es la industria que más millonarios produce por año a nivel global.

Al final, la responsabilidad de elegir bien y hacer que las cosas pasen de manera exitosa es de cada persona, pues se trata de opiniones, de paradigmas y actitudes, no es el negocio en sí, es la gente la que hace que cosas buenas o malas ocurran.

Mi punto de vista es que siendo este un pastel comercial tan grande en términos de volumen de ventas y porcentaje de participación de mercado, y con una tendencia de crecimiento creciente, pienso que solo usted debe estudiar sus oportunidades con más detalle y vencer las percepciones personales o subjetivas, si es que se propone algún desafío con esta industria de negocios.

Considero que como gente inteligente y consciente, usted debe darse la oportunidad de encontrar la compañía que se ajusta a su estilo y gusto, para luego tomar la porción personal que le corresponde a usted de este gran mercado.

SELECCIONE CON PRECAUCIÓN

La clave de todo, después de ver claramente el beneficio personal que puede existir de forma objetiva y realista, pues la nueva economía pone pautas y debemos entenderlas para ganar dentro de ella, consiste en escoger a la empresa correcta, y la gente profesional con quien relacionarse para participar adecuadamente en el negocio.

Es por ello, y siendo el proceso de selección donde se comente la más grande cantidad de errores dentro de la industria, que es muy importante saber elegir adecuadamente, pues si elegimos mal, hay una alta probabilidad de que habrá una decepción en el camino.

Por consiguiente, dedicaré las siguientes páginas a entregarle una fórmula que he desarrollado durante todos estos años, con el fin de ayudarle a elegir la empresa de redes de mercadeo correcta y así lograr los resultados que espera.

Para mí la pregunta lógica no es
si debo hacer redes de mercadeo.

Para mí, la pregunta obligada es
con qué compañía debo hacerlo.

Esto lo digo con propiedad, porque sé que este tipo de negocios puede darle muchas cosas a las personas. Para algunos, se trata de ingresos. Para otros, libertad de tiempo, y otros obtienen el conocimiento y formación que se puede adquirir de manera económica y fácil. Otros requieren aprender cómo activar la asociación con otras personas y las relaciones que ello produce, y para otros simplemente representa una gran oportunidad de desarrollar su potencial.

Recordemos que potencial es la diferencia entre lo que

usted es hoy y lo que puede llegar a ser. Personalmente he visto, durante el transcurso de todos estos años, a cientos de personas que no creían en sí mismos desarrollarse y convertirse en ganadores mediante la influencia generada por el sistema de desarrollo personal que esta industria posee, convirtiendo a personas comunes en grandes líderes, y liberando en ellos el potencial dormido.

Habiendo explicado mis argumentos sobre la industria de redes de mercadeo, creo prudente comenzar entonces el análisis para conocer cómo elegir una empresa adecuada y correcta. Para ello utilizaremos una fórmula, que aún cuando no es infalible, puede definitivamente ayudar grandemente a elegir inteligentemente al socio comercial correcto.

A esta ecuación o fórmula la he llamado: LA PRUEBA DEL ACIDO, y la analizaremos en profundidad en el capítulo número 5. Elegir la opción correcta es fundamental pero no podemos olvidar que son constantes lo que la fórmula analiza, y que en la ecuación hay una variable que tiene tanto o más peso en el éxito de cualquier proyecto, y **esa variable eres tú**.

Ahora, revisemos el poder del concepto de redes humanas y cómo se aplica esto desde una perspectiva académica y profesional. Este análisis de seguro proveerá algunos elementos adicionales a los que usted ya posee actualmente y que ampliarán su criterio y opinión sobre las redes.

Notas para el Lector:

- **Debes darte permiso de soñar en grande.**
  Define tu sueño:

  _____

  _____

- **Debes ayudar a otros a alcanzar sus sueños.**
  ¿A cuántas personas vas a servir para que
  alcancen sus sueños?

  _____

  _____

- **Determina el tren de aterrizaje: ¿Cuál es tu**
  plan de acción?

  _____

  _____

Capítulo Cuatro

EL PODER DE LAS REDES

¿Cuántas semillas contiene
una manzana?
¿Cuántas manzanas contiene
una semilla?

Estas preguntas ejemplifican muy bien el potencial ilimitado de las redes como estrategia. En ellas está contenido un potencial tremendo. De hecho, las redes humanas son técnicamente indetenibles. Su crecimiento no tiene límites.

Las redes favorecen las relaciones humanas, las cuales a su vez retro-alimentan a la propia red, otorgándole mucha fuerza a su estructura.

Las redes se auto depuran de las malas hierbas de manera natural. Las redes promueven el desarrollo personal y potencian los talentos de sus miembros, sacando de ellos su máximo potencial. Las redes aplicadas a los negocios generan una forma muy atractiva de ingresos que se conoce como ingresos residuales o pasivos. Las redes globalizan y pluralizan los negocios. Las redes cambian el juego y son muy difíciles de competir.

Por estas y algunas razones más, podemos encontrar muchos grandes ejemplos de éxito a través de la historia humana que han utilizado esta estrategia de crecimiento, lo que dicho sea de paso no es solo aplicable al mundo de los negocios, pues su uso alcanza a la planificación de las guerras, las redes de distribución de drogas, de terrorismo, la política, las comunicaciones y hasta el cuerpo humano esta diseñado en forma de red.

Un ejemplo de esto lo representa el enorme crecimiento de la iglesia a nivel mundial, la cual usando desde hace mas de dos mil años el modelo de redes ha podido expandirse de tal manera que ha penetrado prácticamente todos los estratos de la sociedad de manera muy exitosa, derrotando incluso al mayor imperio al momento de su creación, el Imperio Romano.

Históricamente las estructuras desarrolladas en forma de red han sido las estructuras más solidas y duraderas. Sin embargo, es en la aplicación comercial donde está el enfoque de este libro y el cual desarrollaremos con detenimiento.

QUIEN CONTROLA LA DISTRIBUCIÓN, CONTROLA EL MERCADO

Recordemos la gran premisa que estudiamos previamente sobre la nueva economía, la cual plantea que quien controla la distribución, controla la red y por consiguiente controla el mercado. El que controla el producto ya no es quien controla el mercado, esa era una verdad en la era industrial.

Si analizamos con detenimiento esta idea, podremos comprender por qué se ha generado el hecho de que muchas de las más grandes empresas actuales son aquellas que no fabrican nada o disponen de limitadas líneas y cantidades de productos o servicios en sus estructuras de negocios.

Recordemos que el concepto de redes produce una sumatoria de recursos, produciendo resultados muy superiores a los que generan estos por separado. Considero que la mejor manera de explicar este concepto es analizando un ejemplo que se ha transformado en un fenómeno en el mundo de los sistemas de servicios de salud en los Estados Unidos y que hoy se ha convertido en un modelo muy competitivo en otros países del mundo.

Me refiero a el concepto conocido como HMO (HMO son las siglas en inglés de Organización para el Mantenimiento de la Salud. Con un plan HMO, usted elige un médico dentro de una red de proveedores de servicios de salud, quienes lo remitirán a especialistas u hospitales dentro de dicha red cuando sea necesario).

EL TOTAL ES MAYOR
QUE LA SUMA DE LAS PARTES

Ahora, analicemos esto tomando como ejemplo a un centro médico especializado en traumatología, que posee 10.000 pacientes y que decide unirse a una red, en la cual ya existen otros centros con diferentes especialidades tales como cuidados de la vista, pediatría, y así sucesivamente el área cardiológica, el área quirúrgica y en conjunto suman diez especialidades, donde cada una de ellas posee 10.000 pacientes también.

Esto representa un total en la red de 100.000 pacientes entre todos, que a su vez todos comparten.

Veamos lo que ha ocurrido con esta simbiosis. Cada una de estas instituciones por separado posee el 10% de los pacientes que ahora tienen unidos en red, cada uno ahora dispone de diez veces más pacientes, y todo estos sin invertir un solo dólar en ello. Esto ha ocurrido ya que con respecto a su especialidad todas las demás instituciones ahora socias, refieren a sus propios pacientes al uso del servicio dentro de la red, esto a su vez ocurre en todos los sentidos y direcciones y esto sin mayores inversiones financieras en equipos, infraestructura, personal, etc.

Cada centro potencia su negocio incrementando con el valor agregado de los socios un factor de crecimiento que representa 90.000 nuevos pacientes. Además los centros médicos unidos en red pueden ofrecer muchos más servicios de salud, contando con las diferentes especialidades ofrecidas por sus socios y haciéndolos mucho más competitivos sin perder su autonomía.

Esto a su vez provoca un incremento de los ingresos a cada centro médico de manera sustancial, probablemente varias veces lo que generaban anteriormente, pues ahora existen muchos más usuarios de los servicios.

Lógicamente, al poseer tanto volumen de personas dentro de la red, los ingresos se disparan, dando la oportunidad al equipo de disminuir los costos que ahora son comunes y de esta manera el servicio se convierte en un servicio integral, más cómodo y más económico para los usuarios, convirtiendo a la red en una opción mucho más atractiva y competitiva y financieramente más accesible al bolsillo de los clientes.

Por otro lado, pensemos en la competencia, aquellos que siguen pensando en estructuras anticuadas y que no practican capitalismo solidario, mas bien practican el CAPITALISMO SOLITARIO –es decir, solo el dinero es la referencia para ellos–. Imaginemos un centro que trata de competir con la ahora unida red, pero sigue usando el típico modelo gastado de la era industrial. Este centro médico se encuentran ahora compitiendo a solas, contando únicamente con sus propios recursos.

Supongamos que este centro posee 10.000 pacientes y solo está especializado en el área cardiológica y medicina general, mientras su competidor geográfico se ha convertido en ahora en una red, ha disminuido los cosos de servicio en un 30% y que ofrece muchas más especialidades, localidades y opciones. Es en conclusión una opción mucho más atractiva.

¿Qué cree usted que va a pasar? La empresa del modelo tradicional va a tratar de contrarrestar la competencia, probablemente invirtiendo para mejorar sus servicios, más dinero en publicidad y ampliar sus instalaciones, lo que traerá como consecuencia el incremento de los costos, generando el efecto contrario al esperado, la pérdida de pacientes. Esta batalla que se encuentra librando comercialmente casi seguro que no la va a poder ganar. Muy probablemente, el no entendimiento del poder de la red lo pondrá en una posición de unirse a una red para mantenerse competitivo, o finalmente lo hará salir del mercado.

¿Dónde está el poder comercial? ¿Quién controla el mercado? ¿Quién hace la diferencia en el juego? Definitivamente, la diferencia la hace la red, pues ésta potencia las capacidades competitivas al sumar los recursos de todos los miembros para generar un resultado que cada uno no puede alcanzar por separado.

Esta idea cuando fue aplicada al mundo de la salud lo transformó, tanto en USA, como en muchos otros países, cambiando la forma como se manejan los servicios dentro de esta industria de forma definitiva. Al pasar los años las redes de salud se convirtieron en una tendencia indetenible e imposible de contrarrestar.

NEGOCIOS SIN INVENTARIO

Realmente podríamos citar incontables ejemplos en diferentes áreas de negocios e industrias alrededor del mundo, pero se me ocurre citar una historia más que ejemplifica muy claramente el poder de las redes. En este caso usaremos una pequeña compañía, este caso proviene de un área de negocios diferente al área de salud, se trata de lo ocurrido con un amigo quien años atrás me solicitó ayuda con su pequeño negocio de distribución de flores.

Este amigo, quien viviendo en la ciudad de Miami se encontraba bastante frustrado pues su negocio además de estar a punto de quiebra le generaba mucho trabajo y gran esfuerzo para mantenerlo a flote, obviamente quería llevar el negocio a otro nivel y vino a mí para que lo asesorara. La idea era hacer despegar el negocio, sin embargo uno de los problemas que mi amigo enfrentaba consistía en la falta de recursos financieros, pues ya había invertido todo lo que tenía en su negocio.

Después de analizar la situación y siendo un capitalista solidario empedernido, teniendo en cuenta el concepto de redes circulando por mi mente como si fuese un virus, inmediatamente enfoqué los esfuerzos de mi amigo hacia cómo encontrar más clientes y tratar de venderles por internet. La idea se basó que él cobraría a dichos clientes, mientras paralelamente realizábamos una alianza bajo la modalidad de red con los dueños de tiendas de flores por todo el país, planteándoles la siguiente idea: nosotros poseemos muchos clientes en su área de operaciones, por tanto si usted está de acuerdo, nosotros realizaremos las ventas, también el cobro del servicio y estamos dispuestos a compartir con usted las utilidades a cambio que usted físicamente realice la entrega del pedido de flores.

Los clientes siempre seguirían siendo de mi amigo, él no necesitaría hacer mayores inversiones de capital para lograr esta expansión del negocio. No necesitará inventario, tampoco transporte para las entregas, lo que sí le recomendé hacer fue desarrollar una estrategia de captación de clientes online, los cuales recibirían flores frescas y de manera rápida en cada rincón del país donde estuviese.

Los dueños de tiendas de flores por todos lados estuvieron felices, pues para ellos les ofrecíamos un notable incremento en ventas sin inversión en captar a estos nuevos clientes, y mi amigo apalancó su negocio con los recursos de todos los distribuidores que se unieron a la idea, disponiendo ahora de una red de distribución poderosa y eficiente.

Las ganancias empezaron a crecer y ahora muchos distribuidores de flores quieren trabajar con mi amigo. Mi amigo ahora tiene una gran compañía que factura millones de dólares, pues él logró entender que la inversión debía ser orientada al mercadeo, y construyó una gran red. Ahora posee un gran departamento de sistemas y otro de servicio al cliente, incluso está pensando llevar la idea a otros países. Ya estoy contento por él y una vez más hemos podido probar el poder de la red.

Si usted se percató bien de lo ocurrido, mi amigo en ningún momento, aun cuando su negocio es proveer flores, tiene inventario de ellas, y con ello solo se expone a poco riesgo empresarial, mientras maximiza las ganancias. Lo que sí tiene es una gran base de datos de clientes satisfechos por todo el país y una red integrada de distribución muy rentable en todos esos lugares.

Este concepto, por supuesto, aplica a los servicios tanto como a productos. Aplica también a grandes negocios como las grandes compañías financieras, las telecomunicaciones, la energía, etc. En fin, hay cientos de ejemplos, y cada día aparecen más.

Personalmente recibo muchas propuestas solicitando asesoría para convertir las pesadas empresas tradicionales en ligeras estructuras en red. Otras propuestas se enfocan en empresas nuevas que desean lanzarse al mercado como compañías que practican la esencia del capitalismo solidario y el impresionante poder de las redes de distribución.

Por tanto, estimado lector, mi más sincero consejo es profundizar y aprender muy bien sobre este concepto. Si usted es dueño de una empresa, trate de adecuarla lo antes posible a la nueva economía.

Si piensa crear una organización nueva, evalúe seriamente hacerlo siguiendo los consejos y experiencia que he compartido.

Ahora bien, si usted es un emprendedor soñando con comenzar su propio proyecto y adolece tanto de recursos financieros como del conocimiento necesario, entonces mi consejo es que encuentre la empresa de redes de mercadeo adecuada a su gusto y que cumpla con los parámetros necesarios para ser la opción idónea, y probablemente usted tendrá muy buenas posibilidades de alcanzar el éxito financiero que desea y posiblemente en un tiempo más corto que creando su propia empresa.

En el siguiente capítulo, les compartiré cómo elegir a una empresa de redes de mercadeo profesionalmente, tratando de entregarle una guía sencilla pero muy poderosa para realizar los respectivos y objetivos análisis que se requieren para hacer la elección sabia que usted merece.

No olvidemos que no es la industria de redes la que no funciona o es poco rentable, es la elección del socio comercial inadecuado lo que usualmente provoca los fracasos y las malas experiencias. Así que como mencioné anteriormente, utilizaremos la fórmula de la prueba del ácido para realizar este estudio y llegar a conclusiones sabias y efectivas.

> # "ELIJA BIEN,
> *no es la industria de redes la que no funciona o es poco rentable, es la elección del socio comercial inadecuado lo que usualmente provoca los fracasos y las malas experiencias".*
>
> *"La aplicación de la prueba del ácido debe preceder a la elección de una compañía en particular".*

Capítulo Cinco

ELIGIENDO AL SOCIO COMERCIAL CORRECTO

ECUACION DE LA PRUEBA DEL ACIDO PARA REDES DE MERCADEO

Un profesional o alguien que pretenda serlo, debe elegir de una manera acertada a su socio comercial, siendo objetivo y dejando las emociones a un lado.

La aplicación de la prueba del ácido debe preceder a la elección de una compañía en particular, o bien servir de filtro para la compañía con la que está actualmente trabajando –si este fuera el caso–, pues muchas veces si logramos identificar que estamos en el camino equivocado, vale la pena corregir el rumbo a tiempo.

Por favor, deje las emociones de un lado mientras realiza este análisis y tome muy en consideración los resultados que produce su aplicación. Mi único interés es ayudarlo a elegir bien, aportando un granito de arena desde mi experiencia para contribuir con lavar la cara de esta maravillosa idea comercial que algunos han manchado con la falta de profesionalismo y falta de ética. Espero que usted me ayude en esta hermosa campaña y hagamos juntos un movimiento que devuelva a aquellos que han sido lastimados la oportunidad de construir redes de mercadeo de una forma digna y rentable.

Los valores obtenidos del análisis deben sumarse para encontrar el total y revisar la tabla de valoración de idoneidad para ver si la compañía que usted está analizando pasó o no la prueba del ácido.

Solo quiero hacer una observación antes de proceder a estudiarla en detalle. Esta fórmula pondera las constantes que definen si una empresa es o no la opción adecuada a elegir, pero no pondera la única variable en la ecuación que está representada por **usted**, lo que –como ya hemos mencionado– es la clave del éxito en su negocio o en cualquier cosa que emprenda.

PRUEBA DEL ÁCIDO

Esta ecuación debe ser aplicada para evaluar las diferentes opciones de empresas disponibles en su mercado. Cuantifique las seis constantes que le presenta la ecuación y pondere su resultado de manera objetiva y seria. Valore con 0 una constante, si la compañía presenta un pobre rendimiento en esa área y valore con 1, 2 o 3 si es aceptable, regular o muy buena.

SOCIO COMERCIAL IDÓNEO =

EMPRESA CORRECTA **+**

PRODUCTO O SERVICIO GANADOR **+**

PLAN FINANCIERO JUSTO Y RENTABLE **+**

SISTEMA DE FORMACION PROFESIONAL Y FORMAL **+**

LIDERAZGO ADECUADO **+**

MOMENTO PERFECTO **+** TÚ

CONSTANTE NÚMERO 1:

Empresa Correcta

De las muchas cosas a evaluar en una empresa, aquí revisaremos los elementos más importantes que considero deben ser estudiados para convertir a una empresa de redes de mercadeo en la opción a tomar.

A. EMPRESA PRIVADA

vs.

EMPRESA PUBLICA

Debemos asegurarnos de que la empresa en cuestión sea idealmente privada. Las empresas públicas –es decir, que cotizan en la bolsa–, son susceptibles a cambios de políticas una vez que cambia la ecuación de accionistas. Esto ha provocado muchas veces que la dirección de la compañía varíe sin que usted tenga control y con estos cambios generalmente se afectan los resultados de su negocio, ya que usted eligió a la compañía inicialmente fundamentada en ciertas condiciones y estrategias que de repente son alteradas por decisiones corporativas y criterios variantes dependiendo de quienes sean los accionistas influyentes en la empresa en el momento. Con empresas públicas las probabilidades de que este tipo de situaciones ocurran es mucho mayor que con empresas privadas. Éstas suelen ser mucho más conservadoras y apegadas a su visión y valores.

Suele ocurrir también que las compañías públicas son frecuentemente vendidas o fusionadas, generando los respectivos problemas e inconvenientes que esto acarrea. Por si fuera poco, no podemos olvidar que en las compañías públicas el principal interés de los ejecutivos es reportar los más altos dividendos posibles a los accionistas, esto determina en gran medida que ellos puedan preservar sus empleos. De esta forma, podemos identificar de inmediato que los distribuidores o asociados a la red de distribución de la empresa no suelen ser considerados el activo más importante. Por supuesto que se consideran de gran valor, pero me refiero a la posición en la que son colocados a la hora que la empresa realiza la toma de decisiones, pues éstas suelen estar enfocadas en complacer con mayores rendimientos a los impacientes accionistas.

Muchas veces he presenciado como se toman decisiones de escritorio que a la larga perjudican a los distribuidores. Conozco diversos casos donde las empresas han variado los planes de compensación originales en detrimento del distribuidor y buscando maximizar las utilidades, y esto ocurre aun y cuando se trate de adornar bien la decisión para vender la idea de manera creíble a los distribuidores.

Sobre este aspecto usted debe estar muy atento, ya que existen compañías que incluso son creadas con el objetivo de llevarlas a cierto nivel de éxito y luego de ello hacerlas publicas, vendiéndolas al mejor postor o postores en el mercado. Puede ser que usted no esté de acuerdo con la dirección, valores o cultura de los nuevos dueños y esto definitivamente afectará el desempeño de su negocio y su agrado con permanecer dentro de la empresa. Al final, usted no tiene el control.

Personalmente, prefiero trabajar y recomendar empresas de mercadeo en red privadas. Prefiero conocer a los dueños, saber con quién me asociaré y que las condiciones que inicialmente me condujeron a elegir la compañía se mantendrán en el tiempo, garantizando que las condiciones serán lo más favorables posible. En algunos casos usted podría incluso llegar a tener una voz dentro del equipo de líderes de la empresa y con los dueños de la misma.

B. BASES FINANCIERAS SOLIDAS

Este aspecto también es muy importante, pues unas finanzas solidas y suficientes son necesarias para garantizar el crecimiento que la industria de redes de mercadeo demanda a quienes deciden incursionar en ella empresarialmente, pues el éxito rápido de este tipo de negocios es muy diferente a lo usual y conozco casos de empresas que se han quedado sin el capital de trabajo necesario para resistir la presión del mercado.

Lamentablemente, muchas compañías de redes de mercadeo son fundadas con recursos escasos, limitados o insuficientes para afrontar el desafío del que hemos hablado. Incluso algunos lanzan compañías pre-vendiendo sus productos a los distribuidores, meses antes del lanzamiento oficial, a fin de obtener de la misma red los recursos para soportar el comienzo de la compañía. Esta práctica además de imprudente, la considero sumamente riesgosa. Con una compañía así jamas me asociaría. Tristemente, muchas personas sí lo hacen y casi siempre las consecuencias son muy lamentables.

La industria de redes de mercadeo es sumamente demandante y competitiva. Por tanto, usted debe revisar lo más posible que la compañía que está evaluando escoger como socio comercial sea financieramente solvente, que cuente con personas en su dirección que conozcan ampliamente el tema financiero y cuyas intenciones y hechos sean suficientes creíbles y reales para velar por el buen desempeño de la empresa. Recuerde que las palabras y promesas bonitas son subjetivas, mientras los números y los resultados son objetivos.

C. VALORES Y PRINCIPIOS

Aquí se pone nuevamente de manifiesto que la compañía a elegir de preferencia debe ser privada, pues así usted podrá saber con quien se esta asociando. De esta manera usted podrá relacionarse con personas, no con posiciones. Podrá alinearse a una visión y una forma de pensamiento en particular. De esta manera podrá conocer y evaluar los valores y principios de aquellos que toman las decisiones. Este aspecto para personas como yo, es fundamental, pues creo firmemente que nada valioso se puede construir sin valores.

La integridad es indispensable para que exista confianza, y me refiero a confianza en que los dueños y ejecutivos de la compañía no fallarán intencionalmente, que no traicionarán a los millones que confían en ellos. Esto incluye a sus amigos y conocidos, ya que usualmente en este tipo de negocios la gente trae a bordo a personas cercanas, a quienes definitivamente no se les quiere fallar, pero muchas veces esto es exactamente lo que ocurre, afectando así estas relaciones.

Solo aquellos que sean leales a sus valores y por tanto actúen apegados a ellos, califican para ser un socio comercial digno y confiable. Usted colocará su tiempo y dinero con ellos, tomando así el futuro financiero en sus manos.

En este sentido hay un pensamiento que conozco, y dice que ES MEJOR TENER BUENOS AMIGOS EN MALOS NEGOCIOS, QUE MALOS AMIGOS EN BUENOS NEGOCIOS.

D. ASOCIACION CON GANADORES

El principio de la asociación es muy poderoso, pues a quien se tenga como socio, en gran medida determinará las posibilidades de éxito y de lograr los objetivos planteados.

Por ello usted debe asociarse y rodearse de verdaderos ganadores. Si aquellas personas que toman las decisiones en la compañía son verdaderos visionarios y pueden probar con resultados su éxito, demostrando así que saben lo que hacen y que son los socios correctos, entonces se habrá cumplido con uno de los elementos más importantes que se necesitan para ganar la carrera del mercadeo en redes.

E. TIEMPO DE EXISTENCIA DE LA COMPAÑÍA

¿Por cuánto tiempo ha estado la compañía en el mercado? Ésta es una pregunta muy importante, y aun cuando las compañías que se están lanzando en el mercado disponen de la novedad a su favor –lo nuevo vende, y para muchos el ser parte de algo que está comenzando es un atractivo fuerte, normalmente las compañías que están siendo lanzadas por primera vez en un mercado presentan crecimiento rápido y viral–, también es cierto que empresas en esta situación son más riesgosas que empresas ya establecidas y probadas.

Obviamente, todo lleva un proceso de aprendizaje y las empresas nuevas deben probar y probarse en muchos de sus estamentos antes de considerarlas como empresas estables y sólidas. De hecho, como parámetro para que usted tenga un punto de referencia en este sentido y pueda medir a las organizaciones en esta constante, le comparto la siguiente información que determina en términos generales dicha solidez.Solo a aquellas empresas que tengan diez años o más y que hayan alcanzado el nivel de 500 millones de dólares en ventas anuales, podemos considerarlas estables.

Ahora bien, note que ambas condiciones deben presentarse simultáneamente, es decir no es sano ver empresas con crecimiento muy grande en los primeros años de lanzamiento, ya que esto suele representar un crecimiento inorgánico y susceptible a problemas futuros. Idealmente, un crecimiento porcentual sostenido que lleve a la empresa a los valores mínimos que previamente les compartí, suelen ser los estándares de evaluación referencial para evaluar esta constante.

F. POSEER LA ESTRATEGIA DE NEGOCIOS CORRECTA Y LEGALMENTE ADECUADA

Toda empresa de mercadeo en redes, de acuerdo a los principios que definen esta industria, debe poseer un negocio en el cual exista un intercambio de bienes o servicios a cambio de un valor monetario.

Dicho en palabras más simples, si el negocio que usted está analizando plantea la recepción de dinero sin dar a cambio algún producto, ese negocio debe ser observado con cuidado pues esto suele ser un indicador de ilegalidad. También es un elemento a considerar en este sentido el hecho de que la propuesta que la compañía presenta tenga como elemento central de la estrategia de mercadeo la promoción de clientes dentro de su plan de compensación de forma muy clara e intencionada.

Muchas compañías tienen como estrategia principal el crecimiento sustentado en facilitar la entrada de nuevos miembros con altas cuotas de afiliación y la generación así de volúmenes rápidos, pero esto suele ser temporal. Éste es un indicador de un negocio frágil, con la estrategia incorrecta y que se convertirá en un negocio de reposición de distribuidores en lugar de un negocio de retención de distribuidores, y aun cuando es usted quien determina la estrategia que seguirá con su equipo, es desde la perspectiva corporativa donde se establecen los parámetros sobre los cuales está basado el plan de compensación y el mensaje enviado al mercado, el cual condiciona el enfoque que la empresa desea establecer para su negocio.

Valorar como algo marginal el asunto de que cada distribuidor posea muchos clientes, siendo los productos los protagonistas del negocio y no los mensajes emocionales y de corte sensacionalista es un tema preocupante y peligroso, pues en redes de mercadeo las compañías pagan por facturación de productos, no por emociones ni cantidad de personas inscritas.

CALIFICACIÓN EN PUNTOS QUE OTORGA LA CONSTANTE NÚMERO 1 A LA EMPRESA QUE USTED ESTÁ EVALUANDO (EVALÚE DEL CERO AL TRES. Tres siendo el más alto, cero siendo el menor puntaje).

Seleccione: 0 1 2 3 puntos

PRUEBA DEL ÁCIDO
CONSTANTE NÚMERO 2:
Producto o Servicio Ganador

Esta constante dentro de la ecuación de la prueba del ácido, es clave para escoger asertivamente la compañía correcta. Si el producto a comercializar no es un producto que marque una diferencia en el mercado, será muy difícil lograr éxito compitiendo en éste.

EL PRODUCTO O SERVICIO DEBE SER DIFERENCIADO Y ÚNICO

Muchas compañías ofrecen productos o servicios buenos, incluso productos excelentes, pero la mayoría de las veces no son productos o servicios únicos. Por consiguiente, si existen productos o servicios iguales o similares en el mercado, accesibles a los mismos consumidores, las preguntas que usted debe hacerse son: ¿Por qué los consumidores preferirán comprar su producto o usar sus servicios?¿Qué hace a su producto o servicio especial y único? ¿Es su producto o servicio fácilmente copiable?

De hecho, hay compañías que centran sus negocios en productos o servicios de los que se pueden adquirir diferentes versiones en la internet. Estos suelen ser productos de los que en esencia al final nadie tiene realmente el control, y no representan una ventaja competitiva que marque una diferencia en su futuro negocio. También debe preguntarse si la compañía posee las patentes y derechos que garanticen que dicho producto o servicio sea exclusivo. ¿Hay posibilidades de que aparezcan competidores fácilmente? Lógicamente que este análisis aplica a compañías que trabajan con líneas de productos o servicios específicos, no al modelo de negocios tipo hipermercado, donde estas compañías ofrecen de todo lo que sea posible, jugando a que sus usuarios obtengan de ella tantos productos o servicios como les sea posible.

CALIDAD

Por lo general, una de las características de las compañías de redes de mercadeo es que poseen productos y/o servicios de alta calidad. Sin embargo, podemos dividirlos en tres categorías: 1) Buenos, 2) Excelentes, y por último, 3) Cambian vidas o productos extraordinarios. ¿En cual categoría colocaría usted al producto de su compañía?

Pero, para asegurarnos de que el producto sea el protagonista de su negocio y realmente tanto distribuidores como clientes realicen consumos consecutivos mes tras mes, debemos tratar de trabajar con productos que se consideren cambia vidas o extraordinarios.

De hecho, usted mismo podría construir una gran red de distribución, pero si el producto o servicio del que dispone no es de verdad un ganador, entonces esa red es frágil y probablemente de corto plazo, ya que lo que sostiene una red en el tiempo es que aquello que se comercializa sea realmente bueno.

El negocio de redes de mercadeo con el concepto de ingresos pasivos es definitivamente un negocio de compras repetitivas. Por tanto, la calidad genera la respectiva fidelización de los consumidores, y esto su vez retención y consumo de largo plazo.

Es por eso que quiero entregar una referencia para que usted la tome como punto de partida en el análisis de esta constante de la ecuación, y consiste en responder con la mayor honestidad y objetividad posible las siguientes preguntas:

¿Su producto resuelve un problema real a algunas personas por poco tiempo? O tal vez ¿Su producto resuelve un problema real a muchas personas por mucho tiempo? Recuerde que el consumo sistemático y repetitivo en el largo plazo es lo que define a las redes de mercadeo desde el punto de estabilidad, y el producto es clave para lograr esto.

ALTA DEMANDA

Un principio de mercadeo muy importante es que la demanda justifica la oferta.
Entonces, la pregunta obligatoria es:
¿Tiene usted un producto de alta demanda?
¿La demanda está ya creada, o tiene usted que argumentar mucho la venta?

Idealmente, debe buscar productos de consumo masivo por el asunto de tener un mercado grande y en constate crecimiento.

En este sentido, la especialización del producto, es decir que esté orientado a un segmento del mercado muy específico, es muy peligroso en la economía del siglo XXI, pues un negocio que depende de un solo producto muy especifico tiene una demanda limitada y con ello se vuelve frágil.

Además de masivo, debe tratar de que sea un producto de uso repetitivo, de compra regular y constante.

Por otro lado, no debe olvidar que lo que decida comercializar debe estar alineado con una de las cinco tendencias de consumo de esta economía, que como ya mencionamos son el bienestar y la salud, la tecnología, la educación, el entretenimiento y la seguridad.

PRECIOS COMPETITIVOS

Algunas veces las compañías de redes de mercadeo para pagar mayores comisiones a sus distribuidores, tratando de hacer el plan de compensación más atractivo, cometen el error de elevar muy por encima de lo prudente los precios de sus productos, también lo hacen buscando generar mayores utilidades en el corto plazo.

Por ejemplo yo conocí una compañía que comercializaba diversos tipos de té, maquilados en la ciudad de Miami con componentes que cualquier persona podría adquirir fácilmente y poner juntos por un precio veinticinco veces menor al valor que ellos lo comercializan. Dicho producto tiene un valor verdadero de dos dólares por unidad, y era vendido a la red por un valor de 25 dólares. Definitivamente, la compañía estaba caminando directo al fracaso, lo triste de esta historia es que muchos caminaron al fracaso con ella.

La cosas valen lo que valen, pero se debe trabajar con compañías que manejen precios justos, y aun cuando la opinión sobre si algo es costoso, es muy relativa de quien hace la apreciación, existen exageraciones en el mercado, las personas se sienten engañadas y con ello vienen las frustraciones y problemas.

CAPACIDAD DE DISTRIBUCION GLOBAL

En la economía del siglo XXI definitivamente se debe disponer de distribución global. Hoy por hoy competir localmente sería una limitación.

El problema con muchas compañías es que no tienen la capacidad financiera para tener cobertura mundial y logística para la entrega legal del producto, lo que limita su operación a pocos territorios, ya que esto requiere una inversión importante financieramente hablando.

Esto definitivamente conspira de manera negativa contra los niveles de competencia requeridos en el siglo XXI.

Si le sumamos el hecho de que el negocio digital pone disponible el mundo a la distancia de un botón, entonces aquellos que posean la mejor y más amplia infraestructura logística para ejecutar sus entregas tendrán mayores posibilidades.

¿Cuál es la visión en este sentido de la compañía que usted está evaluando desde el punto de vista de expansión mundial? ¿En cuántos mercados está presente en este momento? ¿En cuánto tiempo se espera que esto ocurra?

CONFIABILIDAD

Por último, sobre el producto debemos evaluar la confiabilidad. Es decir, el respaldo que este posee.

Y preguntaremos: ¿Invierte la compañía en investigación y desarrollo? ¿Posee estudios que respalden la calidad de los productos? ¿Dispone la compañía de expertos confiables que certifiquen la calidad de lo que se ofrece? ¿Se rige la compañía por una buena práctica de los principios comerciales mínimos requeridos?

CALIFICACIÓN EN PUNTOS QUE OTORGA LA CONSTANTE NÚMERO 2 A LA EMPRESA QUE USTED ESTÁ EVALUANDO (EVALÚE DEL CERO AL TRES. Tres siendo el más alto, cero siendo el menor puntaje).

Seleccione:	0	1	2	3	puntos

PRUEBA DEL ÁCIDO
CONSTANTE NÚMERO 3:
Plan Financiero Adecuado

Cuando me refiero a un plan adecuado, estoy tratando de hacer referencia a que el plan de compensación de la empresa sea un plan que, además de rentable, sea justo. A este respecto quiero darles a continuación algunos elementos para evaluar correctamente la viabilidad de los planes de compensación en compañías de redes de mercadeo.

Es en este punto en particular donde radica uno de los principales desafíos dentro del negocio, pues la mayoría de las personas que incursionan en esta industria nunca llegan a entender dichos planes. Incluso algunas veces las compañías y líderes dentro de ellas explican los detalles profundos de los mismos intencionalmente, pues a veces hay cosas que no quieren decir.

El problema radica en que si alguien no entiende el plan de compensación adecuadamente, corre el riesgo de no sacar el provecho que podría a dicho plan.

Ésta es la razón por la que muchos dejan dinero sobre la mesa que podrían haber cobrado, y ya que la mayoría de estas compañías pagan por niveles y no por volumen, es importante conocer la estructuración de dichos planes.

Debemos tener en cuenta los candados, rupturas y cortes del volumen existentes en el plan. Esto tiene que ver con los requisitos para cobrar las comisiones. Lo ideal es que la compañía posea un plan estructurado sobre la base de pagos por volumen y no por rangos, estructuras o niveles.

Suele ocurrir que muchos de los requisitos que la mayoría de los planes contiene están fuera del control del distribuidor y son muy difíciles de lograr. El distribuidor debe entonces lograr el volumen de ventas además de cumplir requisitos complicados. Esta combinación es típica de las estructuras que pagan por niveles como mencione anteriormente, a diferencia de los planes de compensación fundamentados en pagos por volumen de facturación.

Si analizamos esta relación de negocios en sociedad, entre distribuidor y compañía, podremos notar que existe un acuerdo comercial en el cual la empresa fabrica, administra y posee la logística de servicio, y el distribuidor se encarga del área de mercadeo y usualmente también de la capacitación de los miembros del equipo. Como producto de este acuerdo, cada parte se compromete a cumplir con responsabilidad, así como a compartir las ganancias generadas por dicha asociación.

Pero aquí es donde radica la importancia de elegir el plan de compensación financiera adecuado, pues los distribuidores trabajan con mucho esfuerzo para generar ventas que la compañía no realizaba antes de su llegada. Pero quizás las compañías con sus requisitos no pagan las comisiones correspondientes. Puede que haya generado un volumen de ventas enorme, pero al no cumplir algunos requisitos, quizás no llegaría a recibir el pago que debería de acuerdo a la lógica del acuerdo inicial.

Me explico mejor, lo correcto es que el distribuidor reciba las comisiones por el volumen de ventas generado, ya que la empresa en realidad recibió el ingreso producto de las ventas realizadas, pero lo que comúnmente ocurre es que los requisitos hacen que el distribuidor solo reciba pagos parciales.

Cuando las personas no reciben la correlación correcta de ingresos por volumen sobre la facturación de su red, se presentan las frustraciones y decepciones, percibiéndose una sensación de injusticia.

La verdad sea dicha, en muchos casos es una sensación genuina, pues algunos planes son realmente muy injustos con el distribuidor, pues cada dólar del volumen de ventas generado por el distribuidor y no cobrado por éste, suele quedar en manos de las compañías.

A fin de ejemplificar algunas de las trampas que esconden algunos los planes de compensación, usaremos el caso de aquellas empresas que prometen pagar en comisiones a la red el 50% o más de la facturación, lo cual es una verdad a medias, pues normalmente aun cuando las personas reciben el mensaje que esto es literal, en realidad las empresas pagan el 50% pero sobre el ingreso neto.

Es decir, sobre el ingreso bruto menos los gastos y costos de operación, con lo cual en realidad la cantidad repartida a la red de distribución es aproximadamente el 30% del ingreso bruto por ventas.

Este artificio hace que muchas personas trabajen engañadas, creyendo que su acuerdo comercial es justo y que reciben de regreso a su equipo el 50% del producto del trabajo de dicho equipo y que fue previamente prometido. Esta es la razón por la cual las compañías no permiten que sus libros financieros sean conocidos por los distribuidores.

Esto que ahora hago de conocimiento público, lo hago con el interés de subir el nivel de exigencia del mercado sobre la oferta de las compañías, pues la gran mayoría de los "networkers", aun algunos de los más experimentados y que ostentan rangos altos, no saben que esto está ocurriendo.

Ese pensamiento común de que no importa si no entiendo como pagan las compañías y que igual el dinero va a llegar, me parece un argumento poco profesional y que otorga ventaja a aquellas empresas que se aprovechan del desconocimiento de los distribuidores para hacer propuestas de negocios que no son realmente las más adecuadas.

Espero con esto, ayudar a la opinión general de los distribuidores dentro de esta industria a aplicar un criterio más profundo y con ello contribuir a eliminar del mercado a las empresas que no ofrecen verdaderas y justas oportunidades. Así espero también que entre todos mejoremos la industria, haciéndola cada vez más transparente y clara.

CALIFICACIÓN EN PUNTOS QUE OTORGA LA CONSTANTE NÚMERO 3 A LA EMPRESA QUE USTED ESTÁ EVALUANDO (EVALÚE DEL CERO AL TRES. Tres siendo el más alto, cero siendo el menor puntaje).

| **Seleccione:** | **0** | **1** | **2** | **3** | **puntos** |

CONSTANTE NÚMERO 4:
Sistema de Capacitación Formal y Profesional

Personalmente vengo de una escuela dentro de redes de mercadeo en la cual se considera de manera radical y definitiva que si una empresa no dispone de un verdadero, profesional y formal sistema de formación y capacitación para los miles de personas que forman parte de la organización, el negocio tiene muy pocas posibilidades de tener un real éxito, sobre todo en el largo plazo, pues una organización que no sabe formar a sus miembros, tiene los días contados.

En redes de mercadeo donde participan millones de personas con perfiles, niveles socio económicos diferentes y culturas variadas, es casi imposible lograr que un porcentaje aceptable de ellos alcance un buen resultado dentro de la industria sin disponer de un sistema profesional que los desarrolle.

Considero que es responsabilidad de las compañías promover la capacitación profesional y asegurarse de que sus distribuidores estén adecuadamente formados.

Con esto no quiero decir que debe ser necesariamente la responsabilidad de la compañía impartir las capacitaciones, pero sí quiero confirmar, que ellas son las que deben crear el ambiente para que exista un nivel aceptable de profesionalismo en sus equipos.

Muchas compañías –o grupos de trabajo dentro de ellas– y teniendo la correcta percepción de que debe existir un sistema educativo, crean pseudo sistemas, tomando partes o pedazos de lo que alguien aprendió en algunos libros, o lo que escucharon en algunos seminarios, tratando de convertirlos en alguna suerte de sistema. Sin embargo, la formación de personas a nivel profesional no es una tarea para improvisados e inexpertos, que copian y tratan de aplicar modelos que realmente no entienden.

Recordemos que ostentar rangos en el negocio, no necesariamente significa experiencia, pues puede ocurrir que algunos llamados líderes alcancen posiciones por ciertas circunstancias, pero es solo después de 10.000 horas haciendo algo que podemos decir que alguien es un profesional en ese tema. Los no profesionales son peligrosos, pero los no profesionales con autoridad y poder suelen ser mucho más peligrosos. No hay nada peor que creer que uno sabe y realmente no estar preparado para el desafío, y digo esto porque con mucha facilidad la gente pone el título de líder, entrenador, mentor o experto a quien no lo merece.

No acepte menos que lo mejor. Es importante aprender de los mejores, y es importante que su red sea instruida realmente de una forma profesional.

Esto tiene que ver no solo con conocimiento, tiene que ver con la creación de cultura, empoderamiento de personas, reconocimientos y demás elementos que conforman un verdadero sistema dentro de las redes de mercadeo. Un sistema de capacitación en redes de mercadeo no se trata de tener algunos manuales y algunas charlas de motivación. Se trata de un conjunto de piezas que deben ser desarrolladas e integradas de manera consciente y con mucho conocimiento del asunto.

A fin de cuentas, estamos hablando del desarrollo de personas, que confían y que esperan hacer realidad sus sueños mediante el negocio de redes que eligieron.

Quizás, amigo lector, usted ya ha participado en redes de mercadeo y no ha logrado lo que esperaba. Quizás tiene más preguntas que respuestas en su mente, y por tanto quiero decirle que gran parte del problema está relacionado con el sistema de formación de la compañía que eligió. La meta es convertirse en un profesional en la industria, y aun cuando este negocio es muy noble y algunas personas aun sin estar preparados obtienen buenos resultados en el corto plazo, es difícil sostenerlo en el largo plazo sin un sistema de educación continua. Estos personajes suelen ser peligrosos para el negocio, pues nadie puede enseñar algo que no ha aprendido bien, además el EGO de algunos los lleva a convencerse de su vanidad que llegan creer sus propios aplausos, guiando a otros sin el conocimiento real y profundo que se requiere.

En conclusión, debemos asegurarnos de estar dando el permiso de influirnos, a las personas correctas, que en redes de mercadeo sean producto de un sistema de capacitación y formación. Este es un requisito indispensable para tener éxito en este negocio, y usted puede tener total convicción de que sin disponerlo el éxito colectivo es bastante difícil de alcanzar.

Por todo lo anterior, le recomiendo que si una empresa no posee un sistema con los estándares de profesionalismo que usted merece, por favor descarte esa opción.

CALIFICACIÓN EN PUNTOS QUE OTORGA LA CONSTANTE NÚMERO 4 A LA EMPRESA QUE USTED ESTÁ EVALUANDO (EVALÚE DEL CERO AL TRES. Tres siendo el más alto, cero siendo el menor puntaje).

Seleccione:	0	1	2	3	puntos

CONSTANTE NÚMERO 5:
Disponer del Equipo de Liderazgo Correcto

Una máxima del liderazgo dice que el liderazgo lo construye o lo destruye todo, y esto no es diferente en las redes de mercadeo. En el negocio de mercadeo en redes, por su naturaleza, donde su propio concepto se fundamenta en las relaciones humanas y la construcción de equipos de trabajo, el liderazgo es fundamental para alcanzar el éxito.

Pertenecer al equipo correcto es fundamental, pero usted podría preguntarme, ¿qué define a los líderes adecuados en esta industria? En mi opinión, además de la experiencia necesaria y probada de los líderes, son los valores los que dictan y definen que alguien en verdad sea confiable para poder conducir a sus seguidores a un buen destino.

Las personas que conforman su equipo ascendente o línea de patrocinio, tienen el poder de influir con sus decisiones a todo el equipo, dentro del cual se encuentra usted, y todo aquello que usted ha construido. Recuerde que estas personas de hecho considerarán a su equipo como parte del suyo. Por consiguiente, si la integridad no es un atributo fundamental en estos líderes, las decisiones que estos tomen estarán basadas siempre en el beneficio personal y no en el beneficio de la organización. Por eso –y a menos que el enfoque de los que están en las posiciones de liderazgo esté centrado en el bienestar de la organización–, de seguro sus decisiones en muchos casos no serán las más benignas y acertadas para el equipo.

Por tanto, si usted ha construido una organización por años, debe cuidar que otros que están simplemente primero que usted en la empresa –y quizás de manera circunstancial como ya hemos explicado antes–, no afecten su negocio y con ello su futuro financiero. Este es un elemento que determina gran parte de los problemas en las redes de mercadeo. Personalmente lo he vivido muchas veces, las batallas entre los líderes, las divisiones y enfrentamientos y las acciones egocéntricas suelen provocar terremotos y desastres en los equipos.

Lo he visto organizaciones enormes que tomaron años en construirse. Se han destruido en meses, y justo por problemas de malas elecciones de sus líderes, tanto por asuntos éticos como morales.

Reitero que en ello hay un factor fundamental a evaluar a la hora de elegir una compañía, ¿QUIEN ES EL EQUIPO DE TRABAJO Y LIDERAZGO CON EL CUAL USTED SE ASOCIARÁ?, RECUERDE QUE A ELLOS USTED LES ESTA OTORGANDO EL PODER DE INFLUIR SOBRE SU NEGOCIO, Y CON ELLO, EL PODER DE INFLUIRLO POSITIVA O NEGATIVAMENTE.

Las redes sociales en general provocan en estos tiempos que la información llegue en segundos a todos los niveles de la organización. Así que no se engañe y piense que los problemas generados en su linea de patrocinio no pueden afectar su negocio. No menospreciemos esto. Es vital elegir sabiamente a aquellos con quienes nos relacionamos, dándoles acceso a nuestras relaciones de negocios.

Esto además sirve como lección personal, porque la demanda sobre cada uno de nosotros como líderes presentes o futuros dentro de la industria determina el mayor compromiso que se debe tener presente,. La integridad de aquellos que son más visibles e influyentes dentro del negocio es transcendental en el futuro de la industria. El mercadeo por redes lo necesita urgentemente.

Al ser este un negocio tan generoso y capaz de producir éxito en relativo poco tiempo, se presentan fenómenos de egos descontrolados en el liderazgo que tanto afectan al negocio y a las personas dentro de él. Asegúrese de que la compañía con la que decida trabajar disponga de un robusto código de ética, que sirva de regulador interno de las acciones de las personas que actúan dentro de la red, un marco que sirva de mecanismo de control de los comportamientos de los distribuidores y que mantenga el orden en la organización.

Esto es fundamental. Es súper importante tenerlo presente. Antes de hacer cualquier otra cosa, pida poder revisar el código de ética y reglas de conducta de la empresa. Éste debe ser claro y su aplicación debe ser rigurosa.

Por todo lo antes dicho, el poder encontrar a los líderes correctos es un tesoro, pues en mi opinión el verdadero liderazgo define que un equipo camine en dirección al éxito o al fracaso. Un liderazgo sano y benigno tristemente hoy por hoy es una especie difícil de encontrar, así que hallarlo representa un gran activo empresarial. Debemos tratar de minimizar la acción de los llamados mercenarios de redes de mercadeo, que saltan de una empresa a otra arrastrando a muchos incautos en sus decisiones personales y mal intencionadas.

Por otro lado, y viendo la otra cara de la moneda, considero a las redes de mercadeo como el lugar idóneo para encontrar mentores y líderes que edifiquen nuestras vidas. No solo a nivel de negocios, sino además favoreciendo la creación de relaciones de amistad muy fuertes y duraderas.

De hecho, si me preguntan después de tantos años en el negocio que es lo que más me ha dado la industria, podría decir que no es la recompensa financiera –que ha sido muy generosa, por cierto–, ni los reconocimientos, ni los viajes.

Lo que el mercadeo en redes más me ha dado son muchos amigos, y relaciones hermosas en tantos países como puedo contar. Este es un gran valor, y definitivamente este negocio le traerá muchas buenas personas a su vida. Dice un refrán, que valen más las buenas relaciones que mucho dinero en el banco y yo estoy de acuerdo con esto, pues el capital relacional que usted tenga es muy valioso, y en redes de mercadeo donde usted está expuesto a tantas personas, podrá encontrar mucha gente valiosa que edificará su vida, así com usted se convertirá en un edificador de las vidas de muchos. Esta plataforma de negocios es ideal para facilitarlo.

El "network marketing" ha sido la más hermosa experiencia empresarial que he tenido en mi vida. Soy el producto de que muchas personas de gran calibre hayan depositado y sembrado en mí muchas cosas valiosas durante todo este tiempo. Soy la sumatoria de grandes mentores, a quienes desde aquí aprovecho para agradecer por todo lo que me han dado, y aun cuando en el camino he tropezado con personas muy confundidas y egoístas, también este negocio me ha permitido conocer gente que me ha moldeado y convertido desde el amor, en un hombre mejor.

Querido lector, tenga la plena convicción de que esta industria es maravillosa, hermosa y rentable. Una idea empresarial genial, una escuela de formación como ninguna otra, y además una oportunidad democrática para todos, pues todo el mundo, si así lo decide, puede triunfar en ella. Sea usted un líder que edifique la vida de otros y ellos le recompensarán con su amistad y respeto.

CALIFICACIÓN EN PUNTOS QUE OTORGA LA CONSTANTE NÚMERO 5 A LA EMPRESA QUE USTED ESTÁ EVALUANDO (EVALÚE DEL CERO AL TRES. Tres siendo el más alto, cero siendo el menor puntaje).

Seleccione: 0 1 2 3 puntos

CONSTANTE NÚMERO 6:
Momento Correcto

Un momento es correcto o incorrecto, dependiendo de muchas variables. Sin embargo, existe algo que se llama MOMENTUM y esto tiene que ver con la inercia que una compañía o proyecto adquiere en un momento particular y la percepción de las personas en un tiempo determinado sobre el negocio.

Por ejemplo, las personas convierten en verdad cosas como, "esta compañía es buena", o "ahora es el momento de entrar", o "tal compañía va en caída".

Los mercados crean matrices de opinión sobre las empresas, por tanto es importante identificar el momento adecuado y entrar cuando se ha generado momentum en determinado mercado para aprovechar el impulso que esto genera a nuestro favor.

Desde otro punto de vista, hay compañías que han cometido muchos errores y no tienen un buen momento desde el punto de vista de la percepción del mercado.

Esto significa un reto, pues empezar con esas circunstancias, aun cuando el éxito siempre es factible, se hace más difícil bajo estas condiciones.

En fin, el momento lo hacemos nosotros, en cada uno de nosotros está la capacidad de crear una matriz de opinión o cambiar alguna existente, pudiendo ser nosotros el epicentro del comienzo de un nuevo momentum, pero también es cierto que debemos ser sabios a la hora de elegir el momento adecuado para entrar al juego.

CALIFICACIÓN EN PUNTOS QUE OTORGA LA CONSTANTE NÚMERO 6 A LA EMPRESA QUE USTED ESTÁ EVALUANDO (EVALÚE DEL CERO AL TRES. Tres siendo el más alto, cero siendo el menor puntaje).

Seleccione: 0   1   2   3   puntos

EVALUACIÓN
PRUEBA DEL ÁCIDO™

Ahora ya conoces las constantes. Es tiempo de evaluar la oportunidad que le dará la libertad financiera para alcanzar sus sueños.

Recuerda: *EVALÚA DEL CERO AL TRES. Tres siendo el más alto, cero siendo el menor puntaje. 0, 1, 2 o 3.*

Si lo deseas, antes de hacer la evaluación puedes repasar las notas sobre cada una de las constantes explicadas anteriormente en el llibro.

SOCIO COMERCIAL IDÓNEO = ?

- ¿ES ÉSTA LA EMPRESA CORRECTA?
- ¿CUENTA CON UN PRODUCTO O SERVICIO GANADOR?
- ¿ES EL PLAN DE COMPENSACION JUSTO Y RENTABLE?
- ¿EXISTE UN PLAN DE FORMACIÓN PROFESIONAL ESTRUCTURADO?
- ¿CUENTAS CON EL LIDERAZGO ADECUADO?
- ¿ES ESTE EL MOMENTO CORRECTO?

En la siguiente página encontrarás el formato de evaluación.

PRUEBA DEL ÁCIDO™

Es tiempo de evaluar a la oportunidad de red de mercadeo que desea, para verificar si es la mejor opción para obtener su libertad financiera y alcanzar sus sueños. Si tiene dudas en la evaluación repase las notas del capítulo.

Suma los puntos obtenidos por cada constante.

Empresa:_____	0 1 2 3
¿EMPRESA CORRECTA?	[ ] +
¿PRODUCTO O SERVICIO GANADOR?	[ ] +
¿PLAN DE COMPENSACIÓN JUSTO Y RENTABLE?	[ ] +
¿SISTEMA DE FORMACIÓN PROFESIONAL?	[ ] +
¿CUENTA CON UN LIDERAZGO ADECUADO?	[ ] +
¿ES EL MOMENTO CORRECTO?	[ ] +
Evaluador:_____	
Fecha: / /	TOTAL: [ ]

Esta prueba está diseñada para ayudarte en la toma de decisiones. Los datos que utilices en el análisis deben ser objetivos y basados en la mejor información que puedas obtener de cada oportunidad.

Recuerda poner fecha a tu análisis, ya que existe la posibilidad de que los datos cambien en el tiempo.

*La **Prueba del Ácido™** debe ser utilizada como una herramienta de referencia. Al final, tu compromiso, trabajo y profesionalización son la única garantía de lograr el éxito.*

EVALUACIÓN
(Basada en el total de puntos)

13-18
Adelante, depende de ti.

8-12
Precaución.

0-7
¡Alerta! Alto riesgo.

EMPODÉRATE Y GANA EN LA NUEVA ECONOMÍA - FÉLIX HERNÁNDEZ

Capítulo Seis

LAS ETAPAS DEL NEGOCIO

*Cambie usted y verá como cambian
sus resultados.*

Una vez que hemos elegido a la empresa idónea como socio comercial para comenzar el negocio de redes de mercadeo, ahora se debe comprender claramente las tres etapas del negocio, a fin de desarrollarlo de manera efectiva.

Es importante aclarar que éste suele ser un gran desafío para muchas personas, sobre todo para aquellos nuevos networkers que emprenden sus negocios en red sin la preparación previa necesaria.

Estos suelen desconocer y por supuesto no planear adecuadamente cómo abordar estas tres fases o etapas tan importantes a ejecutar correctamente.

Todo negocio –y este no es diferente–, debe ser tratado como tal.

Esto demanda a su vez el mayor profesionalismo posible, a fin de que usted se asegure de disponer de las condiciones mínimas necesarias para así poder obtener los resultados que un profesional debe lograr.

Analicemos entonces las tres etapas del negocio de redes de mercadeo.

1. ETAPA DE PROSPECCIÓN O ATRACCIÓN

Esta primera etapa representa la fase del negocio que nunca perderá vigencia y siempre debe ser practicada, no importa el nivel de éxito o posición dentro del negocio, nunca se debe dejar de prospectar. Es más, debe ser un hábito eterno, pues nadie sabe donde está el próximo líder en busca de una oportunidad para cambiar su vida.

El objetivo en esta etapa es, definitivamente, atraer a la mayor cantidad de personas posible hacia el negocio. Por eso esta etapa es vital para que nuestro negocio llegue a ser exitoso. En primer lugar, debemos saber que el 80% de las personas que participan en mercadeo en red abandonan la carrera durante el primer año, ya que fracasan en esta etapa, frustrándose y dejando la actividad. Realmente muchos de ellos lo hacen durante los primeros tres meses, y me atrevería a decir que decidieron fracasar antes de empezar. Tiran la toalla al centro del ring antes de empezar la pelea.

Es así como el 80% del fracaso de los emprendedores en esta industria radica en la incapacidad de prospectar adecuadamente.

La falta de habilidad de atraer suficientes personas al negocio de manera exitosa en los primeros meses es lo que los hace desistir, convenciéndose a sí mismos de que es el negocio el que no funciona. Lógicamente, si alguien no conoce una actividad y aborta el proceso de transitar la curva de aprendizaje antes de tiempo, jamás podrá lograr los resultados esperados.Sin embargo, quizás usted me podrá decir, "pero yo ya he pasado determinado tiempo en redes de mercadeo y no he logrado los resultados, ya he pasado la curva de aprendizaje". Yo le respondería de la siguiente manera: ¿Ha pasado la curva de aprendizaje disponiendo del sistema de capacitación profesional que se requiere?

¿Ha tenido los mentores correctos que le hayan dedicado el tiempo personal para formarlo y guiarlo en el camino del negocio? ¿Ha participado en la empresa correcta?

La razón por la que mucha gente falla en la atracción radica fundamentalmente en un elemento básico, que se llama TEMOR AL RECHAZO. Es un aspecto que ya hemos abordado previamente y que sucede usualmente porque las personas cuentan con una limitada lista de contactos personales, donde sus contactos principalmente son amigos y familiares. Si con la poca experiencia que generalmente se tiene para hacer esto adecuadamente, se trata de hacer y el resultado suele no ser el esperado, las personas identifican la falta de profesionalismo y la falta de seguridad y creencia en el negocio que se está proponiendo, y simplemente no creen que quien se los esta proponiendo es la persona correcta para llevarlo al éxito.

Las personas colocan etiquetas de manera inconsciente a los demás. Los catalogan por categorías, tales como: exitoso, fracasado, leal, ético, mentiroso, confiable, ganador, perdedor, etc. Si la etiqueta que usted tiene ante los demás no es positiva, la gente no abrirá su mente para darle el suficiente crédito a su propuesta, descartándola aun antes de escucharlo. Recuerde que la información entra en el cerebro si quien la provee es CONFIABLE Y CREÍBLE. Es por ello que muchas veces aun los más cercanos lo rechazan en sus intentos de involucrarlos en su proyecto.

Si esto es acompañado de que la persona ha tenido alguna mala experiencia con las redes de mercadeo –lo cual le aumenta la posibilidad de rechazar el tema de antemano–, su mala experiencia o paradigma sobre la industria incrementa las posibilidades de que no preste la debida atención a su propuesta. Entonces será difícil traerlos a bordo, y es por esto por cierto que siempre recomiendo –excepto con networkers profesionales–, hacer el contacto inicial usando el producto.

Es así, amigo lector, la gente más cercana es normalmente quien menos cree en nosotros.

La prueba de esto es que si un connotado empresario les invitara al mismo negocio que usted lo invitó, ellos le darían al menos el beneficio de la duda. Obviamente, el desarrollar una vida creíble, íntegra y congruente es un activo que mejora mucho los resultados, pues la etiqueta que llevamos colgada, habla de cosas buenas y creíbles. Pero esta imagen externa no es más que el producto de una autoestima sana. Es decir, usted debe primero creer lo suficiente en usted, para que entonces los demás crean en usted. LO IMPORTANTE NO ES LO QUE SE DICE, LO IMPORTANTE ES DESDE DONDE SE DICE.

¿Está usted parado en la acera de la seguridad? ¿la confianza? ¿el servicio? ¿Quizás está en la acera desde donde transmite una visión de largo plazo?, o ¿está usted parado enviando el mensaje desde la acera de la duda? ¿la visión a corto plazo?. Es posible que usted hable desde la desconfianza y el temor.

Los demás quieren saber que harán algo con la gente correcta, que usted los conducirá al éxito en el emprendimiento. Al final, las personas siguen a personas, no a compañías, y esto no cambiará nunca. Fuimos creados como seres sociales y deseamos relacionarnos y compartir con otros. De hecho, nos encanta hacer cosas con aquellos que nos aportan y nos aman. Cuando quien propone es conocido por empezar y no finalizar con éxito sus emprendimientos previos, la etiqueta suele ser de no constancia y de fracaso. Cambie usted y verá como cambian sus resultados.

La alternativa actual para minimizar el rechazo personal y maximizar el resultado que ha surgido para los emprendedores de este tiempo en redes de mercadeo son las redes sociales, donde por cierto se vuelve a presentar el mismo problema. La falta de experiencia y profesionalismo en el manejo de las mismas no ayuda atraer masivamente a mucha gente al negocio.

Muchos saturan sus redes sociales con información de sus negocios o productos, incomodando a sus amigos y seguidores. Esto también requiere de un plan estructurado y una estrategia seria, planeada con detalle, para poder ser efectivos.

Recuerde que a la gente no le gusta que se le venda, pero les encanta comprar.

¿Cuál es el secreto para prospectar adecuadamente atrayendo a muchos hacia el negocio? La respuesta es que existen innumerables cosas que se deben hacer.

El principal consejo que puedo darle sería que antes de lanzarse a prospectar, se asegure de tener un plan que incluya una adecuada estrategia de mercadeo digital.

Pero sobre todas las cosas, asegúrese de prepararse para ser usted alguien creíble y confiable que confíe en sí mismo y que atraiga a los demás a seguirlo, creyendo usted en el proyecto como algo serio y de largo plazo.

De hecho, un gran principio de liderazgo dice que: LOS LÍDERES NO CONVENCEN, LOS LÍDERES ATRAEN ¡Sea usted alguien que atraiga!

Adicionalmente, le puedo recomendar que no exagere, ni mucho menos mienta para atraer a otros.

Estudie bien su producto, y diagnostique a su prospecto, orientado el mensaje hacia él, o hacia los puntos que usted considera son de su mayor interés. Usted debe saber con quien está conversando, antes de disparar.

Por otra parte, como ya hemos conversado antes, acercarse mediante el producto suele ser más efectivo, hablando en términos generales, que hacerlo prometiendo otras cosas. Este consejo ayuda a minimizar el rechazo hacia las redes de mercadeo.

Un negocio fundamentado en productos siempre será sólido. Un negocio edificado en emociones y promesas de riqueza fácil, siempre será frágil.

Esta es mi experiencia de tantos años, y créame que funciona en todas las culturas. Yo he podido comprobarlo alrededor del mundo.

Por supuesto, todo esto tiene sentido siempre y cuando usted haya escogido el producto ganador, como analizamos en la prueba del ácido.

Respeto a los que fundamentan sus negocios en las emociones y promesas pomposas, yo solo trato de agregar mi experiencia, ya que he visto lo que le ha funcionado a los más grandes y sólidos equipos en la industria.

Pero quiero aclarar también que hay algunos a quienes lo que los atrae a un negocio es el plan de compensación o los viajes, y eso está bien. No hay nada malo en ello.

Realmente debemos leer a nuestro prospecto y enfocar nuestra conversación hacia donde está su punto de interés. Combinar ambos elementos de una forma ponderada y prudente suele ser muy efectivo, sin embargo un verdadero profesional debe elegir una estrategia a seguir.

Por otra parte, escoja un enfoque en el segmento de mercado que sea adecuado para su producto o servicio, y con esto me refiero por ejemplo a afinar la estrategia para llegar a las generaciones más jóvenes mediante el uso de la tecnología, lo que definitivamente en la nueva economía es indispensable y lo será aun más en el futuro.

El mundo digital debe ser bien trabajado definitivamente. El posicionamiento en internet de nuestra marca personal y un adecuado método de comercio electrónico, páginas de aterrizaje, webinarios y estrategias de atracción masiva son muy importantes en el mundo competitivo del siglo XXI.

A través de estas estrategias se pueden acelerar los resultados de manera muy agresiva, pues la tecnología masifica y da velocidad y con ello se incrementan los ingresos, sobre todo para el mercado más joven.

Sin embargo, para personas de otras generaciones hay otras estrategias que usted necesita desarrollar para atraer a personas menos tecnológicas y más clásicas en su forma de hacer negocios. Solo escoja y apunte el arma con el cartucho adecuado al segmento de mercado al cual desea alcanzar.

Este es un mundo que demanda actualización y estudio constante, pero créame que vale la pena entenderlo y participar dentro de él.

Mi intención con este libro no es decirle qué debe hacer, solo tratar de ayudar en el proceso del logro de sus metas usando las redes de mercadeo como plataforma comercial.

Le recomiendo aprender e implementar el TRIÁNGULO DIGITAL, compuesto por el COMERCIO ELECTRONICO, el MERCADEO DIGITAL MASIVO y el MERCADEO POR REDES, que mostramos en la siguiente página.

TRIÁNGULO DIGITAL

COMERCIO ELECTRONICO

MERCADEO POR REDES

MERCADEO DIGITAL MASIVO

La interacción estratégica de estos tres grandes elementos que conforman el triángulo digital es muy poderosa. Lo ideal es conocer, dominar y utilizarlos de manera sinérgica, ya que su poder puede ser enorme.

Actualmente, muchos son especialistas en alguno de los tres componentes del triángulo, que por cierto aún por separado genera gran fuerza comercial, pero es en la integración de los tres componentes donde reside el poder explosivo de masificación tan necesario en la nueva economía.

2. ETAPA DE CONVERSIÓN

Cuando me refiero a la etapa de conversión dentro de las redes de mercadeo, hablo de dos diferentes aspectos vinculados a esta fase del negocio que también debe ser bien entendida para crear un plan adecuado en ella, ya que al lograr asertivamente atraer a muchos prospectos hacia el negocio, entonces debemos convertirlos correctamente.

El primer aspecto de la palabra conversión se refiere a llevar el prospecto al lugar adecuado, de acuerdo a sus necesidades y deseos dentro del negocio. Es decir, ubicarlo en el rol que él desea ocupar en el proyecto. Esto lo menciono ya que la tendencia es tratar de convertir a la mayor cantidad de personas en distribuidores y constructores de redes, olvidando en muchos casos casi por completo a los clientes.

Es por ello que debemos establecer primeramente una estrategia clara para conducir a aquellos prospectos atraídos hacia el negocio hacia el lugar donde deben ser llevados de acuerdo a su perfil.

Alrededor del 80% de las personas que llegan al negocio son consumidores de los productos o servicios que el negocio ofrece, pero muchos de ellos son convencidos de entrar al negocio como distribuidores.

El problema con convertir a potenciales clientes en distribuidores es que después de algún tiempo, y sintiendo haber invertido tiempo y dinero que perdieron en el proyecto, las personas se vuelven inactivas en él, con la respectiva consecuencia que suele ser un pase de factura que los lleva a dejar de consumir el producto, aun cuando éste les guste.

De esta manera se pierde tanto el distribuidor como el cliente, que debió ser un consumidor de largo plazo del producto y que al final es volumen comercial que se ha perdido.

Muchas personas son conducidas a realizar inversiones en paquetes de inscripción en negocios que realmente no desean hacer. Esto lleva indefectiblemente al abandono de la actividad, incluyendo –como ya dijimos– el consumo de los productos y con esto una pérdida de mercado. He aquí la importancia de entender la etapa de conversión correctamente.

Concluyendo este punto, debemos convertir en cliente o distribuidor a un prospecto de acuerdo a su real interés. Los consejos previamente comentados orientan al networker a no presionar, convencer, o manipular a los prospectos para ser distribuidores.

Aquí está la respuesta al por qué hay cientos de personas mostrando ceros en los arboles genealógicos de su negocio, en el alto éxodo y abandono del consumo de los productos. Esto se debe a un grave error de enfoque en la conversión, ya que muy pocos entienden este concepto que hoy les comparto.

A las pruebas me remito, los porcentajes de personas consumiendo en una red normal de mercadeo es de aproximadamente 15% en los mejores casos. ¿Puede tomarse esto como un éxito en el desarrollo del negocio? La respuesta obvia es no, aun cuando algunos consideran que sí lo es. Esto lo que significa es una muy baja tasa de retención y el consumo de los productos, ya que el 85% de los que algunas compraron ahora se han perdido.

Después de estudiar tantas estrategias y modelos de

trabajo, puedo decirles que lo mejor que he podido ver en este sentido y que aprendí es de los networkers asiáticos, quienes han logrado resultados impresionantes dentro de la industria, es que en general su éxito depende de tres factores que ya hemos conversado.

Uno de estos factores es la disciplina, que en ellos es un factor cultural, así como el estar conectados al sistema de formación y capacitación como algo natural. El segundo factor es la decisión de construir el negocio con perspectiva y visión a largo plazo, lo cual además les otorga la ventaja de pasar la curva de aprendizaje sin interrumpirla a destiempo. Esto por cierto representa un reto para otras culturas que son mucho mas indisciplinadas en cuanto a la auto formación.

El tercer factor es la construcción de la red, en función a productos. Esto ya lo habíamos mencionado pero fue de ellos que lo aprendí. Y es que una adecuada lectura del concepto de conversión lleva fundamentalmente a construir las organizaciones en función a clientes y movimiento de productos. Esto no quiere decir que no aparecen grandes líderes y muchos constructores de redes, pero lo hacen en las proporciones correctas.

La otra faceta del concepto de conversión a entender, es la conversión que debe provocarse en aquellos que formen parte de la organización como distribuidores. Estos deben ser convertidos en profesionales de la industria, no en novatos eternos, con mucho conocimiento de muchas cosas pero con pocos centímetros de profundidad en cada uno o de ellos.

Se trata masivamente de convertir a las personas promedio en exitosos en la industria, pero con un basamento sólido. Es decir, su equipo debe ser una máquina de producción de profesionales en redes de mercadeo en el largo plazo.

Esta faceta de la palabra conversión, tiene que ver con la creación de una cultura de profesionalismo, generando a muchos buenos networkers como producto de la construcción del negocio.

3. ETAPA DE RETENCION

Esta etapa es un gran dolor de cabeza para todos aquellos que participan en la industria de redes de mercadeo, ya que como mencioné anteriormente la mayoría de las organizaciones de redes de mercadeo tiene apenas un 15% de retención en consumo de productos o servicios en promedio, es decir solo un 15% es productividad.

> *La retención se trata de lograr mantener a los consumidores de los productos haciéndolo en el largo plazo.*

Es importante definir cuáles son los porcentajes aceptables y sanos de retención que todo negocio en esta industria debe tener. Pero primero es bueno definir que el consumo consecutivo –o recompra automática de productos y servicios– es lo que se considera ideal a la hora de contabilizar el numero de consumidores fieles que debemos incluir en los cálculos de los porcentajes de retención.

> *Este es el concepto que define a las redes de mercadeo y que tan claramente muestra que esta forma de hacer negocios está alineada con la nueva economía, es el concepto de ingreso pasivo, el cual consiste en esencia, en hacer la venta una vez, y que ésta se convierta en una venta periódica y repetitiva en el tiempo.*

Este es el negocio ideal, pues ganamos dinero cada vez que muchos compran algo de forma continua. Es decir, consumo masivo y repetitivo, y esto representa el corazón de la idea de la retención.

Sobre este punto debemos agregar también el análisis de dos fenómenos que afectan de manera nefasta los porcentajes de retención y que me gustaría explicar.

Esto lo aclaro a fin de que usted los evite lo más posible. Por eso espero que las siguientes líneas logren ayudarle de una manera sencilla y efectiva, pues lograr una adecuada retención no es un tema sencillo, pero es vital para disfrutar de un negocio saludable.

A continuación, explico el primero de estos dos fenómenos:

1. EFECTO ALKA-SELTZER

Este es el efecto que se produce cuando líderes y compañías crean grandes expectativas muy emocionales en los mercados, sobre todo en los mercados nuevos y lanzan eventos y todo un movimiento cargados de motivación, tocando las emociones de las personas y prometiendo el éxito para todos. Esto suele crear la sensación de urgencia en la gente y la mayoría piensa –por supuesto, aun sin estar debidamente preparados– que el resultado se obtendrá de manera rápida.

Sin embargo, el efecto Alka-Seltzer se produce cuando las emociones están presentes pero no están acompañadas de la debida preparación del mercado y de acuerdo a un plan previo de trabajo profesional y sistemático, el cual provea a la masa de personas que entran en el negocio, el andamiaje de condiciones y recursos necesarios para generar las condiciones correctas. Estos mercados suelen entonces crecer muy de rápido, pero también se desinflan muy rápido.

Así es el efecto Alka-Seltzer, crecimiento como espuma, rápido y contagioso, seguido de un decrecimiento igualmente acelerado y que trae como consecuencia a miles de personas decepcionadas y el nombre de la compañía deteriorado. Efervescencia masiva, seguida de deserción masiva.

Ésta es una muy mala combinación para las compañías, pues aun cuando algunos líderes pueden generar ingresos grandes de forma rápida, solo será a corto plazo.

Después de haber sido partícipe en la apertura de muchos mercados nuevos y ver como los grandes mentores que he tenido realizan dichos lanzamientos, con la respectiva preparación de los mismos, he aprendido que los movimientos sensacionalistas sin la preparación previa suelen ser muy perjudiciales.

En mercados nuevos, el efecto Alka-Seltzer se previene haciendo una debida identificación de líderes que estén consubstanciados con el proyecto, además de un plan de preparación de los mismos. Todo esto a fin de garantizar no solo la lealtad al proyecto, sino adicionalmente garantizar que los grupos estén técnica y profesionalmente preparados para sostener el crecimiento provocado.

Adicionalmente, las compañías deben estar preparadas en los aspectos tanto logísticos, como administrativos, así como contar con los recursos humanos y aspectos legales de operación en correcta situación, para evitar el tan detestado efecto Alka-Seltzer.

Desafortunadamente, esto no ocurre con la frecuencia que debería y estos elementos son tomados a la ligera intencionalmente o no.

Esta es la causa del deterioro de los mercados y de la imagen de las compañías y, por consecuencia, de la industria de redes de mercadeo.

Este efecto también se produce en mercados ya existentes, incluso en grupos particulares dentro de una compañía, donde se logra crear por alguna razón, promoción o algún plan especial un crecimiento agresivo, pero no adecuadamente planeado y con ello ocurren los mismos resultados de baja retención y alta deserción que hemos conversado.

El sistema formativo con el que se cuente es definitivamente el elemento más importante en el proceso de generar retención y sostenimiento del negocio en el largo plazo.

2. EFECTO BUS

El otro efecto asociado con el asunto de retención es el efecto BUS. Este se relaciona con las personas que entran al negocio. Para explicarlo voy a usar una analogía muy interesante, la cual consiste en imaginar a personas que suben a un bus por la puerta de adelante muy emocionados y felices. Pronto –a veces en las primeras semanas–, se bajan por la puerta de atrás del mismo, decepcionados y frustrados.

Si usted previamente ha desarrollado redes de mercadeo, sabe exactamente de qué le estoy hablando. Probablemente ya lo experimentó y de seguro se habrá preguntado por qué la gente entra y sale como si no entendieran el negocio, menospreciando éste y dándole poca importancia. Quizás se ha preguntado también cómo se puede evitar este fenómeno.

El gran secreto se llama: AGREGAR VALOR.

El valor que le entregamos a los demás, es lo que hace a las personas permanecer en una actividad. Los seres humanos funcionan así. Mientras usted les da algo, ellos se quedan allí, pero en redes de mercadeo –al igual que en casi todo en esta vida– agregar valor se realiza a través de la EDUCACIÓN, EL CONTENIDO, LA CAPACITACIÓN, LA MOTIVACIÓN Y EL RECONOCIMIENTO.

Sí, ésta es la llave, ya lo han probado en los mejores exponentes de la industria. Aquellas compañías y equipos que forman a su gente, que las valoran, que invierten en ellos, que creen en ellos, que constantemente buscan su desarrollo y su bienestar. Estos mantienen a sus equipos en el tiempo.

El problema con esto es que nadie puede dar lo que no

tiene –y como ya he mencionado varias veces–, los no profesionales y poco éticos entran al juego dando muy poco de valor a sus seguidores y esto hace que la gente más pronto que tarde se aparte de ellos, pues usted puede engañar a la gente por un día, quizás por un año, pero no podrá hacerlo por toda la vida.

Esa es la razón por la que a muchos se le desvanecen sus equipos. El efecto bus es una consecuencia de la ausencia de líderes visionarios y profesionales, que solo juegan al corto plazo, que no tienen ni idea ni intención de formar a su gente, que esperan solo dinero, resultados fáciles y a cualquier costo.

Por eso hay que hacer un escrutinio cuidadoso de las empresas y sus diferentes componentes antes de elegir a la que será su socio comercial. De aquí la relevancia de la prueba del ácido para redes de mercadeo. Por todo ello podemos decir que es vital elegir la empresa correcta, donde las personas con toda certeza siempre son lo más importante.

Ahora, permítanme compartirles una fórmula que he desarrollado para medir correctamente la retención en el negocio. La llamo la FÓRMULA DE LA EFICIENCIA EN RETENCIÓN, y se calcula de la siguiente manera:

NDR = Número de distribuidores en su red

NCT = Número de clientes totales en su red

NPCPA = Número total de personas comprando el producto de forma automática en el mes

$$\text{EFICIENCIA EN RETENCIÓN} = \left(\frac{NDR + NCT}{NPCPA} \right) \times 100$$

Porcentaje (%) de efectividad en retención

Este número, si lo analizamos desde el punto de vista de un profesional en la industria, no debe estar jamás bajo del 70%. Ahora, imagine a alguien que ostenta un rango alto en una empresa y que posee 50.000 distribuidores en la red, de los cuales solo 12.000 consumen el producto de forma regular.

Este líder posee una retención de 24%, y aun cuando es un numero bueno para el promedio del mercado, es pésimo para el estándar de los profesionales. Estos números denotan un negocio seguramente enfocado en vender paquetes de inscripción, y sin sistema de formación profesional. Desde otro punto de vista, este ejemplo muestra una pérdida de 74% de los consumidores. ¿No cree usted que algo no está bien en este equipo?

Sin embargo, es muy probable que los líderes de esta red estén convencidos de que lo están haciendo bien, si lo miramos en términos de facturación comisionable. Calculamos que unas 12.000 personas digamos que con un promedio de $100 de compra al mes, significan 1.200.000 dólares de ventas en el mes, esto lógicamente representa a los líderes ingresos sustanciales y muy llamativos.

La pregunta obligada entonces es a qué precio la empresa ha logrado vender 1.200.000 dólares. ¿De qué tamaño es el cementerio de este negocio? Se dice que en redes de mercadeo todos tenemos un cementerio pues, con o sin intención, hemos quemado a mucha gente, pero la reflexión aquí consiste en preguntarse ¿De qué tamaño es el mío?

RETENCIÓN es la consecuencia de hacer bien varias cosas.

Este negocio es similar a preparar una comida. Se puede disponer de varios ingredientes de alta calidad, pero si uno solo de ellos no está en buen estado, toda la comida se perderá. Retención es la prueba de fuego de quien se considera un profesional en este negocio.

EL SECRETO ES AGREGAR VALOR

"El valor que le entregamos a los demás es lo que hace a las personas permanecer en una actividad. Los seres humanos funcionan así".

Capítulo Siete

LO BÁSICO ES SIEMPRE LO BÁSICO

Se trata de que muchos dentro del equipo puedan hacer bien los aspectos básicos del negocio y los repitan muchas veces. No se trata de hacer mal 10.000 cosas a la vez, se trata de hacer bien 10 cosas y repetirlas 10.000 veces. En el negocio de las redes a esto lo llamamos DUPLICACIÓN.

Ahora permítanme traer a la conversación los conceptos más básicos del negocio, ya que todo lo que ya hemos analizado en los capítulos anteriores puede estar en el lugar correcto, pero muchas veces olvidamos que los aspectos básicos representan quizás lo más importante pero que a veces olvidamos.

Muchos que entran a participar en redes de mercadeo quieren correr sin antes caminar, y se lanzan a hacer emprendimientos sin dominar los fundamentos de la actividad. El éxito en este tipo de negocios no es diferente a muchos otros negocios. No se trata de hacer mal 10.000 cosas a la vez, se trata de hacer bien 10 y repetirlas 10,000 veces. Se trata de que muchos dentro del equipo también puedan hacer bien los aspectos básicos del negocio y los repitan muchas veces. En el negocio de las redes a esto lo llamamos DUPLICACION.

El asunto con los conceptos básicos se puede ilustrar usando como ejemplo a un jugador profesional de algún deporte, el cual por alguna razón deja de hacer estiramientos diarios, deja de realizar los lanzamientos diarios y las repeticiones constantes de los movimientos fundamentales de su deporte. Se olvida también de realizar ejercicios cardiovasculares y de cuidar su alimentación. Lo que ocurrirá muy pronto es que por bueno que él sea en su especialidad, cuando vaya al campo de juego tendrá problemas, pues el descuido en hacer las cosas básicas hará que una estrella deje de serlo rápidamente. Son las cosas básicas las que hacen a gente común alcanzar niveles de gente extraordinaria. Son estos aspectos los más importantes y que a fin de cuentas deben ser practicados con disciplina y constancia.

Por tanto –y aun cuando muchos de ustedes deben conocer estos elementos básicos de las redes de mercadeo– voy a presentarles el ciclo del éxito que es la base sobre la cual se han desarrollado todas las empresas exitosas de la industria. Además trataré de explicarlo de forma simple. Sepa usted también que este ciclo existe desde hace más de sesenta años y ha venido practicándose en redes de mercadeo por todo ese tiempo.

Estoy seguro que esto ayudará tanto a los que menos experiencia tengan como a aquellos que sí la posean, y para quienes quizás la utilización del ciclo del éxito sea algo rutinario. Sin embargo, siento la necesidad de compartirles esto, ya que un principio de liderazgo aprendido dice que un líder nunca debe suponer nada. Por tanto, aquí esta el ciclo del éxito. Espero que el contenido de este libro sea útil y sirva de guía para ser usada de forma masiva con sus equipos, pues he tratado de abordar diferentes temas que sirvan a todos los networkers por igual.

Los dos primeros pasos del ciclo del éxito son intangibles. Sin embargo, son los más importantes. Los demás son tangibles, pero dependen de los dos primeros.

DEFINA SU SUEÑO

Es simple, todo aquello que se ha construido o alcanzado en el mundo, primero fue soñado por alguien, y aun cuando los realistas –que son típicamente gente común resignada a lo que les ofrece la vida–, perciben el hecho de soñar como algo innecesario, romántico y de poco valor, yo creo que son los sueños la energía que mueve al mundo, y que provocan la creatividad y el emprendimiento, y por tanto impulsan el desarrollo de la humanidad en sí misma. Aquello que realmente anhelamos, aquello para lo cual hemos nacido y deseamos ardientemente lograr, es definitivamente la mejor y más ponderosa gasolina que lleva a las personas a superarse y a luchar por lo que quieren.

De hecho, después del amor, considero que no hay fuerza más poderosa dentro de una persona, que su voluntad soñadora y perseverante. Por eso creo que en las redes de mercadeo, o en cualquier proyecto que usted emprenda, el ¿POR QUÉ? es lo más importante. De hecho la gente quiere lograr resultados grandes aplicando conocimiento más trabajo, pero olvidan el por qué. Es decir, los motivos, que son sus sueños y esto hace que solo trabajo y educación no sean suficientes.

Sin sueños fuertes y ardientes, los obstáculos del camino lo persuadirán de rendirse antes de triunfar. Por eso, ¡Sueñe, sueñe, y sueñe! y no pare nunca de hacerlo, EL ÉXITO NO ES OTRA COSA QUE LA REALIZACIÓN PROGRESIVA DE LOS SUEÑOS.

Al mundo lo mueven los soñadores, y los realistas siempre los cuestionarán. Lo que usted sueñe no solo debe estar presente en su día a día, sino que además no debe aceptar que nadie le empañe el derecho a hacerlo. No acepte que nada ni nadie lo convenza de enterrar sueños en una tumba. Muchos a los treinta años de edad entierran dichos sueños que desde niños cobijaron en sus corazones, y luego –40 años después, o antes– serán acompañados por su cuerpo, el cual es depositado en esa misma tumba donde ya reposaban fétidos los mejores sueños de su vida.

Lamentablemente, mucha gente no logra más porque no se convencen de que sus sueños no son imposibles de alcanzar. Si sus sueños son fuertes, los llevarán al éxito, siempre y cuando usted no se suelte de ellos. Los sueños no necesariamente se refieren a riqueza material, ésta llega cuando usted cumple sus sueños y ayuda a muchos a resolver problemas, pues la sociedad recompensa de muchas maneras a los soñadores verdaderos, pues estos suelen dar soluciones con sus logros a muchos y cuando usted hace esto, la recompensa financiera suele llegar.

Personalmente, me considero a mí mismo como un soñador diurno empedernido. Con los pies puestos en la tierra y la preparación correcta para realizarlos, me permito tener el tren de aterrizaje para convertir en resultados reales aquello que he deseado.

Por tanto, le invito a nunca perder la capacidad de soñar, y le recomiendo en este momento como el inicio de una nueva etapa en su vida, darse el permiso de soñar otra vez, si quizás lo habías dejado olvidar un poco.

Sé que la gente en las redes de mercadeo no logra más porque abandonan la carrera muy temprano, y esto es un síntoma de sueños débiles. Si todos los que renuncian en medio del camino se mantuviesen haciendo lo necesario durante el tiempo suficiente, muchos más realizarían sus sueños. El sueño es la gasolina de los ganadores y la que permite sobrepasar las dificultades sin claudicar.

Una frase que me gusta mucho dice que CUANDO EL

CAMINO SE PONE DURO, SOLO LOS DUROS QUEDAMOS EN EL CAMINO. El éxito es la realización progresiva de los sueños y la superación de las retos de la vida. Este libro, por ejemplo, representa parte de lo que siempre quise hacer y deseo querido lector agradecerle por leerlo, pues aun cuando no nos conocemos en persona, de alguna forma este medio nos conecta. Y si en esta conexión el medio me permite agregarle algo de valor a su vida, eso es parte de mis sueños, y ahora mismo gracias a usted lo estoy cumpliendo.

No lo olvide, el éxito es la realización progresiva de los sueños. Cuando alcanzas alguno, otro nuevo y mayor aparece, y éste a su vez le impulsará al próximo nivel. NO PERMITA QUE NADIE LE ROBE SUS SUEÑOS.

2do. PASO

ESTABLEZCA UN COMPROMISO FUERTE

El éxito no es una opción, es la única ruta posible. Cuando nos convencemos de esta afirmación, es solo cuestión de tiempo realizar los sueños. Por consiguiente, el compromiso con nosotros mismos de hacer lo necesario para triunfar es fundamental en la receta del éxito.

El compromiso debe ser radical y no negociable, dígaselo a usted mismo, EL JUEGO NO TERMINA HASTA QUE YO TRIUNFE, y jamás se siente a la mesa de negociación con el fracaso y las dudas, porque con el solo hecho de considerarlo ya usted habrá perdido.

La duda siempre le va a ganar cuando usted se descuide y le dé oportunidad. Solo por considerarlo habrá abierto la puerta para que, tarde o temprano, lo que usted convirtió en su mente en una opción, se convierta en una realidad. La duda mata a los sueños, y con ellos la satisfacción de haber cumplido con usted mismo.

Se dice que la perseverancia por sí misma es omnipotente. La perseverancia es el resultado de un compromiso fuerte con las metas claras, por tanto NO RENUNCE NUNCA, NO RENUNCIE NUNCA, NO RENUNCIE NUNCA.

No se trata de quién tiene las mejores aptitudes para algo, se trata del que tiene la constancia y fuerza para seguir hasta el final sin aflojar.

Debemos hacer una declaración personal de COMPROMISO CON EL ÉXITO. ¡Créame! El precio del éxito es alto, pero el precio del fracaso lo es más. La resignación de lo que no se ha logrado es un cruel verdugo que habla en las noches con una voz que sale desde la almohada y que tortura a la víctima por toda la vida.

Los que dieron lo mejor de sí mismos en el camino, llegan a la ancianidad satisfechos por la satisfacción del deber cumplido y haberse desgastado en el camino haciendo y logrando, pero aquellos que se rinden dejando algo para comenzar una y otra vez, sin concretar nada, llegan al ocaso de la vida frustrados y decepcionados de esta. Esto hace la diferencia entre un anciano y un viejo.

Claro que siempre habrá desafíos en la ruta, pero la definición de cobardía no se refiere a no sentir miedo. Cobardía significa no enfrentarlos. La duda mata a los sueños, pero los miedos se los comen.

Nunca se dé el permiso de abandonar. NO RENUNCIE NUNCA, recuerde que de su éxito depende el éxito de otros, incluso su familia está esperando que usted triunfe.

Una cosa más, NO OLVIDE SER DISCIPLINADO Y PERSEVERANTE, PARA CUANDO NO SE SIENTA MOTIVADO, SOLO LA FUERZA DE SUS SUEÑOS LO MANTENDRÁN EN EL CAMINO. ASEGÚRESE DE SER DISCIPLINADO PARA CUANDO LAS EMOCIONES LO TRAICIONEN.

3er. PASO

PRESENTE LA OPORTUNIDAD

Querido lector, más allá de todas la estrategias y planes de acción que existen, lo que nunca va a fallar es presentar el negocio día tras día.

Es un asunto estadístico. Hable de su negocio todos los días, se trata de exposición. El mejor plan de acción que existe es hacer trescientas presentaciones al año, y esto le dará altas posibilidades de alcanzar sus metas.

Use la tecnología, reuniones grupales o presentaciones uno a uno, pero hágalo día tras día y planifique su tiempo para hacerlo organizadamente.

No es tan complicado, ni tiene grandes secretos. Todos lo podemos hacer. Se trata de repetir las cosas básicas una y otra vez, como ya les expresé previamente.

4to. PASO

HAGA SEGUIMIENTO

Esto se llama servicio de atención al cliente en las empresas tradicionales. Hágalo buscando la satisfacción de sus relacionados de negocios, tratando siempre de atender y responder a sus necesidades.

La gente valora que alguien genuinamente se ocupe de ellos. Muchas veces este paso determina el éxito con un prospecto, así que responda preguntas y camine al cierre lo antes posible.

En mi opinión personal, nunca debe preguntar a las personas si están interesados. Su postura en la negociación siempre debe ser asumir que sí están interesados. Solo hay que definir cómo y con qué.

Por ejemplo, si va a hacerse cliente o distribuiodor, o cuál producto prefiere ¿A o B?, pero nunca deje de conducir a sus prospectos hacia un cierre, y hágalo lo antes posible.

Haga este cierre que le recomiendo, que se llama cierre con opciones. Sin embargo, no olvide que se trata de seguimiento, no de persecución. Respete si alguien no muestra interés en su proyecto o negocio, pídale referidos y no se convierta en alguien molesto.

5to. PASO

CONÉCTESE
AL SISTEMA DE CAPACITACIÓN

Creo que no hay mucho más que decir sobre este punto, pues ya lo hemos conversado bastante. Pero, una vez más, invierta en su formación.

La ignorancia es gratis, pero ya sabe los resultados que produce. Haga estos pasos una y otra vez, sueñe y comprométase cada día con sus sueños.

Cuando esté entusiasmado por la energía de sus metas, usted estará haciendo presentaciones diariamente. Cuando haga presentaciones, habrá seguimientos por hacer. Cuando haya personas en seguimiento, habrá cierres que realizar y los resultados vendrán.

Cuando usted está viendo los resultados, eso lo llevara a buscar más información y a prepararse más, y cuando se prepare más, esto lo llevará a creer más, y cuando se cree más, los sueños se empiezan a cumplir, y así se repite el ciclo nuevamente.

Si este ciclo se repite sistemáticamente, es que lo está haciendo bien. Si se mantiene este ritmo por mucho tiempo, lo estará convirtiendo en un hábito y los hábitos de éxito conducen irremediablemente al éxito.

NO RENUNCIE NUNCA

Siempre habrá desafíos en la ruta, pero la definición de cobardía no se refiere a no sentir miedo. Cobardía significa no enfrentarlos. La duda mata a los sueños, pero los miedos se los comen.

Nunca se dé el permiso de abandonar. No renuncie nunca, recuerde que de su éxito depende el éxito de otros.

Capítulo Ocho

CULTURA DIAMANTE

La tarea fundamental del líder es provocar un ambiente de paz, que favorezca el desarrollo de cada miembro del equipo y que permita que el enfoque de todos esté en crecer. La cultura organizacional ya debe estar establecida y proveer el ambiente sano para que cada uno se concentre en trabajar para alcanzar sus metas.

En las redes de mercadeo es usual colocar nombres de piedras preciosas a los niveles de éxito. Por eso he decidido llamar a este capítulo "Cultura Diamante", en honor a esta piedra preciosa que es tan común escuchar en redes de mercadeo.

Cultura se refiere al conjunto de conocimientos y modos de vida que definen a un grupo de individuos. También se refiere al culto que se rinde a algo, de tal forma que cultura es aquello que conocemos, establecemos y en lo cual creemos.

Tomando esta definición como punto de partida, es importante mencionar que se debe construir intencionalmente una cultura sana dentro del equipo, no dejar que esta se auto genere de manera natural.

La organización, es decir su equipo, siempre se parecerá a sus líderes. Por tanto, lo que usted establezca como cultura esto será lo que definirá el tipo de equipo que tendrá.

La cultura de un equipo en redes de mercadeo ejerce mucha fuerza sobre los miembros del mismo, ya que este modelo de negocios obliga a que cada miembro necesite de los demás. De esta manera, las redes de mercadeo se convierten en un ejército de socios independientes y voluntarios, decididos a unir esfuerzos para alcanzar el éxito juntos, un éxito que por separado es mucho más difícil de lograr. La cultura que reine en esta organización ayudará o retrasara el progreso de los miembros.

Debemos darle linderos a nuestro equipo para que ocurran varias cosas, como:

- Desarrollo del sentido de pertenencia del equipo, hacia el equipo.

- Las reglas de juego no escritas y que dictan el carácter del equipo deben estar claramente establecidas.

- La atracción de nuevos miembros que se identifican con la cultura del equipo sea ágil.

- La depuración de aquellos miembros que no estén alineados con la cultura se produzca de manera natural.

Como recomendación, le sugiero fomentar los siguientes elementos como principios y valores de la cultura de su equipo:

- Los sueños son lo más importante, y se fomentan dentro del equipo.

- La ética y la integridad definen al equipo.

- El éxito de uno, es el éxito de todos.

- El trabajo duro es necesario y reconocido.

- Este es un negocio, ser profesional es fundamental.

- No hay límites, cualquier cosa se puede lograr.

- Somos capitalistas solidarios, gente ayudando a gente a ayudarse a sí misma. Es la regla de oro del equipo.

- El sistema de formación es vital para el equipo.

- El servicio es la moneda de cambio en la organización, mientras más alto el nivel de alguien, mayor cantidad de personas a quien debe servir.

- Relaciones sólidas, negocio sólido.

- La gente siempre debe ir primero que los resultados.

- Productos son la base del negocio.

- Edificación es fundamental, desacreditar la imagen de otros no es aceptable.

- El chisme es veneno al equipo.

- El reconocimiento es muy importante.

La cultura es tan importante en las redes de mercadeo que ella determina y establece las condiciones ideales o no para que los equipos se enfoquen en crecer. La tarea fundamental del líder es provocar un ambiente de paz, que favorezca el desarrollo de cada miembro del equipo y que permita que el enfoque de todos esté en crecer. Esto es importante pues la gente dentro del equipo debe estar haciendo lo que hace a un negocio crecer: la acción enfocada en resultados. Las personas no deben estar preocupadas por las circunstancias de paz y armonía, de estímulo al logro, de colaboración y demás que deben estar presentes, porque la cultura organizacional ya debe estar establecida y proveer el ambiente sano para que cada uno se enfoque en trabajar.

Un ejemplo para explicar esto es el siguiente. Imagine que usted y su equipo están enfocados en la prospección y se encuentran trabajando duro en esta fase del negocio, pero cuando los nuevos miembros llegan al ambiente, éste no es el correcto. Es como tener los mejores y más hermosos peces del mar y ponerlos en una pecera de agua de mar que no tiene la salinidad o la temperatura correcta. No importa qué calidad o belleza tengan los peces que usted coloque dentro de ella, morirán o su desarrollo será muy lento y difícil. Si el ambiente no es el correcto, es muy difícil crecer. La pecera representa la cultura, y sus condiciones deben ser óptimas.

La otra razón por la que he usado la palabra "diamante" en este libro, es porque me gusta lo que el diamante representa. Como todos sabemos, ésta es una piedra preciosa, considerada la más dura de todas. Es fuerte pero hermosa a la vez. Es excepcional, porque un diamante representa el éxito en este negocio. Es el símbolo de alguien que es noble y sirve a los demás. Al menos esa fue la concepción que me enseñaron durante el comienzo de mi carrera.

"¿Usted sabe lo que significa la palabra diamante?"

Quiero regalarles la definición que me dio una pequeña niña años atrás en una ciudad no muy grande de Latinoamérica, cuando salía de un evento donde terminaba de dar una conferencia.

Personalmente, no me gustaba que la gente me dijera diamante. Prefería que me llamaran por mi nombre. Sin embargo, ese día la niña me dijo" "Mi diamante, ¿me podría firmar un libro?" Yo le dije, ¡claro que sí!, pero por favor llámame por mi nombre. Ella me respondió, diciendo: "¿Usted sabe lo que significa la palabra diamante?". Le contesté que no sabía, intrigado por la definición que una niña de diez años podría tener sobre esto. No sabía que ella estaba a punto de regalarme una de las más hermosas definiciones que he escuchado en la vida.

La jovencita procedió entonces a decirme que la palabra diamante en español está compuesta a su vez por dos palabras: día y amante, y que "día", de acuerdo al diccionario significa 24 horas y "amante" representa al que ama.

Diamante entonces significa "el que ama 24 horas al día", con lo cual para ser un verdadero diamante había que amar a mucha gente, ayudándolos a lograr sus sueños, durante 24 horas al día.

¡Wow! ¡Qué impresionante! ¡Que definición! No solo me gustó, sino que jamás la olvidaré. Por eso a este capítulo lo he llamado "Cultura Diamante", porque aun cuando algunas organizaciones de redes de mercadeo llamen de forma diferente a sus rangos, todos entienden que se trata solo de una analogía, que solo busca definir lo que debe ser la verdadera cultura en los equipos de redes de mercadeo. Una cultura de liderazgo y de servicio, una cultura que estimule a los demás a lograr sus metas.

Es por ello que siempre he tratado de construir mis equipos de trabajo dentro de una cultura de empoderamiento sincero a los demás. Creo en ello firmemente. He visto como durante años las personas que están conectadas conmigo ya se han convertido en parte de mi familia. Por eso cuando trabajamos juntos otros notan algo especial y quieren sumarse, pues impera en el equipo un ambiente con un aroma agradable y que invita a los demás a querer ser parte.

Esto representa una gran fortaleza en cualquier organización, ¡qué rico es trabajar con los amigos, disfrutando con ellos los éxitos! Así el día a día se disfruta mucho, que rico tener un negocio que le permita escoger con quien trabajar, que le permita hacer amigos. En mi caso, aun tengo dentro de mi vida y negocios a varios de aquellos con los que hace 26 años empecé a construir redes de mercadeo.

Me gusta llamar a esto AMBIENTE DE AGUILAS, y se trata de crear el clima correcto para atraer a ganadores, atraer a líderes y gente que esté dispuesta a progresar, pues si un águila llega a un equipo y no percibe que está en un ambiente de águilas, donde pueda estirar sus alas y alcanzar el máximo de su potencial, ¿sabes qué hara? Se irá a otro nido donde pueda encontrarse en un ambiente de ganadores, con excelencia, con valores, con integridad y donde pueda crecer siendo parte de un equipo de gente que se parezca a sus aspiraciones.

Las águilas buscan águilas, es así, y quizás esta es la razón por la que usted no se ha sentido a gusto en algunos equipos a los que ha pertenecido antes, porque usted sabe que merece más.

Solo aquellos que logren crear una organización que atrae y retiene águilas, disfrutarán de las mieles del éxito en el largo plazo y para toda la vida.

Su futuro está sustentado en el éxito de otros y solo líderes que edifican la vida de los demás lo alcanzan, pues sobre los logros de otros se encuentra el secreto del éxito sostenido.

Esto confirma la gran máxima del capitalismo solidario, que dice: "Nadie se hace rico solo y el que construye su éxito sobre el éxito de otros, ha encontrado la forma de generar éxito sostenido".

"NADIE SE HACE RICO SOLO
y el que construye su éxito sobre el éxito de otros, ha encontrado la forma de generar éxito sostenido".

Capítulo Nueve

NO SIGAS, COMIENZA

El éxito es 80% habilidad en construir relaciones humanas y 20% habilidades técnicas y conocimientos. Las redes de mercadeo son un buen lugar para practicar esta máxima. La gente verdaderamente fuerte es poca, y son fuertes porque llegan a entender que fuerte es el que cede, no el que tiene la razón.

Al fin llegué a este capítulo que tanto deseaba escribir, pues en él quiero abordar el tema que habla sobre la única variable en la ecuación de la prueba del ácido, pues como usted sabe los otros seis elementos de la ecuación son constantes, pero es la variable la que define y cambia todo.

Esta variable está representada por ti. Tú eres lo único falible, eres lo único diferente, todo lo demás es igual para todos. La compañía es la misma para muchas personas, el producto, el plan de compensación. Entonces **si las constantes en una empresa son iguales para todos, tu éxito depende de ti.**

En este capítulo quiero hablarte a ti, directo a tu corazón, al que lo hace todo posible o imposible. Este capítulo te lo dedico, y para ello primero quiere hacerte cien por ciento consciente de una gran verdad, lo que logres o no logres es por que lo has decidido así. Tu buena o mala actitud en la vida, es tu única y exclusiva decisión, y aunque sé que los seres humanos somos muy buenos para culpar a los demás, la buena y mala noticia a la vez, es que los demás no son los responsables de nuestras victorias, ni tampoco de nuestras miserias.

De hecho, la tendencia de la humanidad siempre es EVALUAR A LOS DEMAS POR SUS RESULTADOS, PERO A EVALUARNOS A NOSOTROS MISMOS POR NUESTRAS INTENCIONES, y esto debe llevarnos a la reflexión, pues el primer paso para el cambio, es la aceptación. Debemos aceptar y reconocer que somos una pieza en construcción, que siempre podemos mejorar más, y es por eso que he llamado a este capítulo, NO SIGAS, COMIENZA.

Creo que muchos de nosotros en la vida debemos detenernos y comenzar de nuevo en varias oportunidades. Comenzar una y otra vez, y además tenemos el permiso de hacerlo, incluso de hacerlo hoy mismo, en este mismo momento, y créeme –no quiero sonar retórico–, tenemos la oportunidad de cambiar el rumbo si es que no estamos contentos de hacia donde vamos, en cualquier momento y con una simple decisión.

Lo importante no es de donde vengo, lo importante es a donde voy. Lo importante no es como comencé la carrera, lo importante es como voy a terminar la carrera. Lo importante no es lo que me hicieron o lo que hice, lo importante es lo que voy a hacer.

En este sentido quisiera tomar algunos momentos para hablar del tan perjudicial y dañino EGO, ese enemigo silencioso que dicta todo el tiempo cosas negativas al oído, que dice por ejemplo que siempre tenemos la razón, cosa que normalmente no lleva a resultados deseables. El éxito no reside en tener la razón, el éxito consiste en obtener los resultados y lograr la realización, la felicidad.

El ego es como un potro salvaje sobre el cual cabalgamos y que nos puede tumbar muchas veces. Por ello debemos aprender a manejarlo, a conducirlo y domesticarlo lo más posible.

Si llevamos todo este asunto al negocio de las redes de mercadeo, en el cual las relaciones interactivas con otros son ineludibles y en las cuales el ego no deja avanzar a quien es su víctima –ya que es una actividad de contacto con tanta gente–, es cuando la variable TU, toma preponderancia, pues muchas personas interactuando entre sí, representan un reto al carácter de cualquiera que desea prosperar en este ambiente. Estoy convencido de que el que tiene el grupo más grande, es porque está preparado para liderarlo. Usted tendrá un equipo del tamaño del equipo que esté preparado para liderar.

Obviamente, me estoy refiriendo a equipos sostenidos en el tiempo, no a accidentes de la industria, temporales y circunstanciales. Las personas lo premian cuando usted a través del tiempo les prueba que es alguien auténtico. El premio es seguirlo y ser fieles a usted. Esto representa entonces una organización grande y prospera.

Este indeseado enemigo tiene dos caras que usted debe identificar y conocer para que pueda manejarlas de la mejor manera, a fin de facilitar al fin su proceso interactivo con los demás.

Una de estas caras del ego es aquella que se ofende y evita el rechazo, la crítica y huye de la corrección. Por eso, podemos decir como mencioné antes que el QUE SE OFENDE ES EL EGO. De ahora en adelante, cada vez que usted se sienta ofendido, sepa que su ego está saliendo.

Esta cara le dice a usted que no puede lograr algo, que es mejor rendirse. Esta cara representa una autoestima baja, una pobre imagen de usted mismo. Le dirá siempre que usted no está listo para alcanzar lo que desea. Esta cara susurra cosas como, "no vale la pena", "mejor evita la pena de ser rechazado". También dice cosas como: "esto es más grande que tú", o "tú no naciste para esto". Sí, esa vocecita interior es... ¡El ego que te quiere convencer de que tú no puedes!

Pero el éxito necesita transitar la ruta del ego. En otras palabras, debemos aprender no solo a enfrentarlo, sino que debemos aprender a manejarlo y vencerlo. Debemos entender que es muy difícil que alguien logre grandes resultados sin reducirlo lo más posible. Trate por favor, de no permitir que él tenga la razón siempre, trate de no tenerla y no quiera convencer a los demás de sus verdades.

No discuta, tómelo como regla, recuerde que es mejor invertir un minuto en 100 personas que 100 minutos en una sola persona, que además insiste en tener siempre la razón. No discuta, el que discute pierde. Es natural en el ser humano atrincherarse en una posición aun cuando sepa que se está equivocado, solo por mantener la razón sobre el punto. Por tanto, no discuta. El objetivo es que la gente pase el puente hacia donde usted está, no que se quede del otro lado del puente defendiéndose. La discusión empieza cuando el ego sale a relucir, no se frustre porque alguien no entró al negocio.

Esto que acabo de describir llega a convertirse en un arte y un reto en sí mismo, que lo desafiará a entrar en la escuela del carácter y lo retará a graduarse en ella.

Estas palabras tienen como finalidad retarlo y empujarlo a ser mejor cada día. Tienen como finalidad también convencerlo de que vale la pena conquistar la primera y más importante montaña que todo ser humano debe conquistar antes de tratar

> ## "ES EL EGO
> *el que en gran medida detiene a la gente, haciéndoles creer que no pueden o por el contrario, haciéndoles creer que todo lo pueden, y ambas direcciones son tóxicas para el éxito verdadero".*

de conquistar otras. Me refiero a la montaña de sí mismo.

De hecho, asegúrese de caminar hacia las otras montañas muy consciente de que AQUELLO A LO QUE SE ARRODILLE CAMINO A LA CIMA, ESO LO ESCLAVIZARÁ CUANDO LLEGUE A ELLA. Por eso debe conquistarse a usted mismo primero, y ser alguien que da la buena batalla para cada día ser mejor persona que el día anterior.

Para su tranquilidad, tenga además la convicción de que está frente a una oportunidad de negocios única. Usted está en la tendencia correcta, así que solo persevere con la actitud correcta, derrumbando aquello que lo detiene, siendo lo suficientemente valiente para enfrentarlo y cambiarlo.

La otra cara del ego es la cara opuesta a la anterior. Ésta es la que le dice, "eres el mejor, no necesitas a los demás, eres el centro del universo", y bla, bla, bla. El problema con estas palabras es que son mentira, que por cierto para algunos llega a convertirse en verdad interna, ya que escuchan estas palabras demasiadas veces dentro de sí mismos y una mentira repetida muchas veces, se llega a convertir en una verdad. Pero nadie quiere estar con gente así, ¡que problema! Si usted se fija detenidamente, es el ego el que en gran medida detiene a la gente, haciéndoles creer que no pueden o por el contrario, haciéndoles creer que todo lo pueden, y ambas direcciones son tóxicas para el éxito verdadero.

Idealmente debemos ser atractivos a la gente, queremos que la gente quiera pasar tiempo con nosotros, queremos ser reconocidos como gente exitosa, pero a la vez sencilla, queremos influir en muchas vidas positivamente, pero en todo ello, el ego es un mal consejero. Por eso, tome para sí la frase, "No sigas, comienza". Esta frase lo puede ayudar mucho.

He visto a muchas personas alcanzar niveles de éxito importantes dentro de este negocio. He visto también cómo una influencia inadecuada ha afectado a muchos y cómo organizaciones enormes se han afectado en poco tiempo.

La altivez convierte a la gente en gente tóxica, por ello debemos asegurarnos de que CUANDO ALGUIEN SALGA DE

NUESTRA PRESENCIA, SALGA MEJOR QUE COMO LLEGÓ. Esto debe ser una consigna de vida.

El desarrollo de nuestra marca personal es un activo fundamental en la nueva economía.

Debemos edificarla alrededor de aquello que tiene valor para nosotros. Por tanto, organice su vida alrededor de aquello que valora y lo hace feliz, alrededor de las cosas trascendentales que la vida ofrece, así será percibido como alguien con quien vale la pena hacer cosas.

Me gusta el pensamiento que dice que el éxito es 80% habilidad en construir relaciones humanas y 20% habilidades técnicas y conocimientos. Las redes de mercadeo son un buen lugar para practicar esta máxima. La gente verdaderamente fuerte es poca, y son fuertes porque llegan a entender que fuerte es el que cede, fuerte no es el que tiene la razón. Entienda y practique esta máxima de vida tan poderosa y habrá encontrado una tremenda herramienta para construir relaciones solidas y verdaderas.

Para finalizar este capítulo, quiero hacer algo más que invitarlo a hacer algo, quiero **RETARLO** a hacerlo. Por favor, de seguro existen algunas áreas de su vida que ameritan que usted se detenga y comience de nuevo, hágalo entonces: **NO SIGA, COMIENCE.**

> **"LA ALTIVEZ**
> *convierte a la gente en gente tóxica, por ello debemos asegurarnos de que CUANDO ALGUIEN SALGA DE NUESTRA PRESENCIA, SALGA MEJOR QUE COMO LLEGÓ".*

Capítulo Diez

VALORES

Los valores mueven al ser a encontrar un por qué
genuino y auténtico por el cual luchar.
Los valores tienden a sublimar al ego. Los valores nos
ayudan a definir una actitud responsable ante la vida.

He querido dejar este capítulo para el final, porque lo considero el más importante de todo el libro. Así como el postre se deja para el final de la comida, lo he reservado para cerrar nuestro viaje por la nueva economía y el mercadeo en redes.

Soy un firme creyente de estas palabras que ya mencioné antes, pero que vale la pena resaltar:

NADA VERDADERO SE CONSTRUYE EN EL MUNDO SIN VALORES Y PRINCIPIOS.

Creo fielmente que la gente quiere estar cerca de gente auténtica. Creo que existe una gran crisis de credibilidad.

La confianza es un animal raro de ver en estos días, y me preocupa que nuestras sociedades ya no produzcan hombres y mujeres de la talla de Teresa de Calcuta o Abraham Lincoln, entre algunos otros.

Me preocupa el mundo que estamos legando a la próxima generación y sé con certeza absoluta QUE EL ÉXITO SIN VALORES NO EXISTE, EL ÉXITO SIN VALORES NO ES ÉXITO.

La verdad es que no sé cómo algunos pueden vivir sabiendo que su integridad es elástica y de acuerdo a las circunstancias, adaptable a lo que les conviene en un momento determinado y orientada a buscar el beneficio personal.

Los valores son el GPS del hombre, ignorarlos representa estar perdido en la vida. Son los valores los fundamentos y cimientos a los cuales debemos ser fieles y jamás negociar. No importa lo que aparentemente pierda por hacerlo, siempre ganará siendo fiel a ellos.

Este capítulo pretende solo confirmarle querido lector, que ésta sí es la vía correcta, y que no existen atajos para eludir los valores. Durante todo el libro me he esforzado por compartirle los consejos y experiencias prácticas y las técnicas que he aprendido en el camino, para tratar de ayudarlo no solo a comprender el momento histórico que representa la nueva economía y sus desafíos, sino además he tratado de darle las herramientas que espero le sean útiles para desarrollar un negocio de redes de mercadeo fuerte y sostenible.

Pero no podía terminar este libro sin afianzar el tema de valores. El más importante, el que más allá del éxito en el negocio, es el que determina qué tipo de ser humano usted es. El que lo hará sentirse orgulloso de haber vivido una vida digna y de legar esa dignidad a sus hijos.

Creo que debemos ser buenos, benignos, serviciales y misericordiosos. Creo que si LOS MALOS SUPIERAN LO BUENO QUE ES SER BUENO, ELLOS NO SERIAN MALOS. Con estas palabras cargadas de mis más profundos sentimientos y deseos de que usted haga una diferencia en este mundo, me despido convencido de que seguramente usted estará listo para emprender algún nuevo proyecto. Para ir a por sus sueños con determinación, y que las redes de mercadeo sean el vehículo que lo lleve allí.

Me despido convencido de que usted sabe que hay una mejor versión suya esperando por salir a la luz y que los demás merecen disfrutar de esa versión. Me despido confiado en que usted está de acuerdo conmigo en que son los valores los que le dan sentido a nuestras vidas, le dan significado y hasta le otorgan un propósito. Los valores nos mueven a vivir vidas intencionalmente benignas. Los valores mueven al ser a encontrar un por qué genuino y auténtico por el cual luchar. Los valores tienden a sublimar al ego. Los valores nos ayudan a definir una actitud responsable ante la vida.

Personalmente, como hombre de fe que soy, creo en los valores bíblicos como base del ser, y eso me ayuda a tener conciencia de que lo divino siempre conspira para que actuemos de acuerdo al deber ser universal.

Cuando actuamos con valores, nos convertimos en personas de alto impacto y esto comienza por nuestras familias. Es en nuestro hogar donde se cosechan los mejores frutos de la integridad y la ética. Es en el hogar donde podemos ser ejemplo para los que luego serán nuestros espejos en la vida.

Me despido convencido de que algún día escucharé de usted y de sus logros, cosa que me gustaría mucho. Me despido convencido de que no hay nada que usted no pueda lograr. Convencido de que usted lo hará, y que lo hará ahora.

Me despido con la convicción de que Dios bendecirá grandemente su vida y que lo mejor de su vida está por venir. Me despido con el genuino interés de que algún día conversaré en persona con usted, y una vez más ¡gracias por darme la oportunidad de compartir mis ideas con usted, y gracias por ser una persona fiel a sus valores!

La gente auténtica hace la diferencia. ¡No lo olvide!

ACERCA DEL AUTOR

FÉLIX HERNÁNDEZ
Empresario,
conferencista,
escritor y capitalista
solidario.

Mi nombre es Félix Hernández. Creo en la libre empresa y en los sueños. Soy un capitalista solidario empedernido y también creo que cada uno merece lograr aquello que sueña. Apenas tengo 47 años y ahora con una experiencia acumulada de más de 25 años en el capitalismo solidario, puedo ver un futuro aun mejor, pues hoy la tecnología acelera los resultados.

Haber conocido esta filosofía siendo tan joven definitivamente cambió la dirección de mi vida. Fue un encuentro divino. Yo era entonces un estudiante universitario con escasos recursos económicos y pasando muchas dificultades. A los 21 años tuve la oportunidad de conocer a un doctor en medicina muy exitoso que vivía en los Estados Unidos y practicaba el capitalismo solidario. Él me introdujo en el mundo de los ingresos residuales y de las redes de negocios internacionales. Ese fue un momento clave para mí y cambió mi vida.

Pero fue mi decisión de dedicarme a este negocio con alma y corazón lo que me llevó a ese momento especial, cuando te das cuenta de que puedes tener libertad financiera pues en un solo mes estás generando en ingresos residuales lo que no hubieses ganado siendo empleado de otros ni siquiera en 10 años. Esa libertad me ha permitido cumplir mis sueños de niño, al mismo tiempo que he podido ayudar a muchos y he llega a tener acceso a una vida plena como la que pocas personas comunes pueden disfrutar.

No fue un camino rápido, ni fácil, pero tuve la oportunidad de conocer a hombres muy exitosos que fueron mis mentores para aprender como hacer del capitalismo solidario una realidad en mi vida. De hecho, tuve la oportunidad de ser pionero en estos conceptos para Latinoamérica. Eso representó en el año 1992 la oportunidad empezar mi negocio propio como capitalista solidario en Venezuela y llevar mi red de distribucion a nivel global años después, alcanzando 250.000 personas dentro de ella.

El capitalismo solidario también me dio la oportunidad de desarrollarme como conferencista y escritor de clase mundial. Ha sido la plataforma más espectacular que he podido imaginar para proyectar mis talentos e impactar las vidas de otros. He podido hablar ante más de 1.000.000 de personas de forma directa y para varios otros millones de forma indirecta a través de libros, grabaciones de audio, videos, programas, etc.

El éxito financiero es una bendición. Pero lo que el capitalismo solidario me ha otorgado y que me produce más satisfacción es contar con tantos amigos a nivel mundial que son un tesoro. Con ellos, además de hacer grandes negocios, disfruto el camino. Tener tantos amigos es lo mejor de todo, y eso es producto de trabajar bajo la filosofía de "gente ayudando gente a ayudarse a sí misma". Esa es la verdadera ganancia, los ingresos financieros son una consecuencia de ayudar a otros.

Definitivamente sí se puede lograr cumplir los sueños en la vida, todas las veces que te lo propongas. Si crees lo suficiente en ti mismo y luchas con todo, lo harás. Yo pasé de ser un chico que llegó a estar enfermo de hambre, a conquistar la libertad financiera a los 30 años de edad.

•

Félix Hernández es Licenciado en Ciencias Administrativas, mención Logística, Procedimientos y Métodos, con especializaciones en Mercadeo y Planificación Estratégica. Además posee un Bachelor Degree en Teología de la International School of Ministry, en Santa Ana, CA y un Bachelor Degree en Liderazgo, de Christian Leadership University, en Louisiana.

Es fundador de GlobalImpacteam, Escuela de Capacitación para Emprendedores de la Nueva Economía Fundador y Presidente de Premier Plus Consulting, empresa de marketing masivo con presencia en 9 países.

Poseedor de una de las redes de distribución en consumo masivo más sólidas en Latinoamérica, con más de 250 mil distribuidores. Es un conferencista Internacional con una audiencia de más de 1 millón de personas a las que ha hablado de manera directa en más de 20 países.

Obras publicadas: "De la Ignorancia a la Luz"(2011) y "El Verdadero Liderazgo" (2014).

EMPODÉRATE MÁS

¡MANTENTE AL DÍA!
VISITA NUESTRA WEBSITE
www.felixhernandez.net

CON MUCHAS MÁS HERRAMIENTAS ENFOCADAS A:

- Aumentar tus contactos y convertirte en un profesional en el emprendimiento.

- Desarrollar un negocio de redes de mercadeo fuerte y sostenible.

- Facilitar el logro de la libertad financiera, a tu manera.

Estamos solamente a un click de distancia:

www.felixhernandez.net

Made in the USA
Middletown, DE
10 October 2020